W9-DHS-645

Grandes fotógrafos del mundo

Retratos

Título original: *Portraits: The World's Top Photographers and the stories behind their greatest images*

Maquetación: Compaginem

ISBN: 978-84-8156-460-0

Reprografía por ProVision Pte. Ltd, Singapur
Impreso en Singapur por Star Standard Industries (Pte) Ltd

Grandes fotógrafos del mundo

Las historias tras sus mejores imágenes

Retratos

Fergus Greer

Electa

Sumario

Introducción

Retratos es una selecta recopilación de imágenes de algunos de los fotógrafos actuales de mayor prestigio internacional. Sean bienvenidos a este libro, en el que además de las fotografías hallarán las historias que describen el ascenso a la fama de sus autores y conocerán a grandes rasgos la filosofía artística de estos creadores. Les sorprenderá descubrir cuánta pasión y arduo trabajo se necesitan para captar imágenes... y conservar la reputación.

El retrato es el campo fotográfico más prominente. Los retratos plasman para la posteridad momentos de la historia, y a menudo se convierten en imágenes icónicas de una época. Podría decirse que, en diversos sentidos, los retratistas son las estrellas del rock del mundo de la fotografía.

El retrato es el género «sexy» de la fotografía. Todo lo que hemos oído al respecto es cierto. Basta comprobar lo que los fotógrafos dicen de ellos mismos. En este libro podrán leer lo que John Stoddart —el hombre que nos mostró una imagen «diferente» de Liz Hurley— opina sobre los fotógrafos de automóviles, y podrán saber cómo Tony Duran se compró su mansión en Bel Air, California, gracias a una sola fotografía de Jennifer Lopez.

Resulta de particular interés el enfoque distinto de cada fotógrafo con respecto a sus obras y su propia imagen. Son enfoques tan individuales como los modelos a los que fotografían. Algunos de los fotógrafos que aparecen en este libro se han negado a mostrarse en un autorretrato y otros han sido muy puntillosos en lo tocante a revelar detalles técnicos, prefiriendo que sus fotografías hablaran por sí solas.

Cualquier fotógrafo aficionado ha realizado un retrato de alguien: sus hijos, un vecino o un amigo. Así que, ¿qué diferencia hay entre retratar y ganar muchísimo dinero fotografiando a gente famosa? Bueno, para empezar resulta muy complicado entrar en el negocio. Los fotógrafos de retratos componen una especie aparte. Dedicar el tiempo y la energía —y las horas de conversación— que requiere acercarse a ciertas personas importantes, incluso a la realeza, y realizar un trabajo de alta calidad para incluirlo en el catálogo personal no resulta sencillo. Se trata de un negocio muy lucrativo, pero extremadamente competitivo y exigente. Cualquiera que quiera competir desde fuera lo encontrará desalentador. Quizá uno de los efectos beneficiosos de semejante entorno sea que el fotógrafo se ve obligado a encontrar y trabajar caminos innovadores para asegurarse de que sus imágenes destacan. Tal y como dice Martin Parr, requiere «rigor».

Existen toda clase de retos para aquellos que se dedican al retrato a tiempo completo: las largas horas de trabajo, las frustraciones con el publicista —quien rara vez coopera— y los madrugones para coger un vuelo con destino a alguna localización remota.

A aquellos fotógrafos que realmente posean talento, empeño y suerte que acepten el régimen de trabajo y logren entrar en el mercado, el retrato les reportará más fama, dinero y emociones que la fotografía de naturalezas muertas o de paisajes. El retrato incorpora la tensión de la caza y la inigualable sensación de logro que produce la captación de un momento perfecto en la cámara. Por más retos que plantee un retrato, para los mejores retratistas del mundo el subidón de adrenalina que provoca es demasiado excitante para renunciar a él y demasiado excepcionales la pasión por los modelos, el oficio que tienen y la electrizante sensación de pertenecer ocasionalmente al mundo de las celebridades.

Fergus Greer

Michael Birt

Nacido en Liverpool, Michael Birt estudió fotografía en el Arts Institute de Bournemouth, Reino Unido, entre 1972 y 1975. Tras graduarse se centró principalmente en la fotografía de moda. «No tenía decidido convertirme en retratista, pero mi primer encargo consistió en tomar un retrato de un diseñador de moda y desde entonces me ha resultado imposible escapar a la llamada del retrato.»

El entusiasmo de Birt resulta evidente en su trabajo. «A diario voy conociendo a algunas de las personas más interesantes del planeta y, sean ellos los que acuden a mí o yo quien contacta con ellos, se me permite observar sus vidas. Y por fugaz que sea el vistazo, constato las cualidades que nos hacen a todos seres individuales.»

Respecto a la naturaleza de su profesión comenta: «La fotografía es un medio complicado. Ha de captarse el momento en el instante perfecto, pues de lo contrario se ha perdido para siempre. Son muchísimos los factores que contribuyen al éxito de un foto, y tan solo me doy por satisfecho cuando lo consigo».

Birt tiene ideas interesantes acerca de sus virtudes y defectos. «Creo que mi mayor virtud consiste en conocer mis defectos, y mi mayor defecto, en conocer mis virtudes. Algunos fotógrafos saben dónde está su punto fuerte y sistemáticamente se apoyan en él para tener éxito, pero en mi opinión hay que explorar también los puntos débiles fotográficos para poder desarrollar el trabajo personal.»

Birt ha trabajado para diversas publicaciones en Londres y en Estados Unidos, entre las que se incluyen *The Sunday Times Magazine, Glamour, The Sunday Review, The Times, Newsweek, People, Luxe* y *Talk*. Considera que su momento de mayor prestigio fue al ser contratado en los inicios de *Talk*, de Tina Brown. «Mi mejor momento fotográfico fue cuando trabajé para *Talk*. Retraté a gente prominente e influyente durante varios años. Creé el concepto de "Imágenes parlantes", seis páginas de fotografías con extractos de la conversación que había mantenido con el sujeto durante la sesión insertados entre las imágenes.»

Alguna de sus cualidades más valoradas deriva de su capacidad para pensar en profundidad y escuchar concienzudamente. «Creo que la mayoría de los fotógrafos son buenos pensadores, y a menudo son personas con las que resulta sencillo charlar. Parte del proceso consiste en ser capaces de adaptar la conversación para que el sujeto se muestre interesado. Con frecuencia la gente a la que fotografío se encuentra bajo una gran presión y el tiempo que pueden dedicarme es muy limitado, por lo que debo establecer un lazo emocional inmediatamente.»

Junto a Irving Penn, David Bailey, August Sander y Richard Avedon, Helmut Newton es uno de los artistas a los

Harrison Ford
Actor, mayo de 1999, Nueva York.
«La evidente fuerza física, inteligencia e intensidad de Ford afloraron en un momento de intimidad en el estudio.»

Chow Yun-Fat
Actor, 1999, Los Ángeles, California.
«Resulta emocionante encontrar tanta calma, bondad y talento en un sujeto. Enseguida nos pusimos de acuerdo y obtuvimos muy buenas imágenes en poco tiempo.»

Alexander Payne
Director, enero de 2000, Topanga Canyon, California.
«La tirita cubría un corte real, no era un accesorio fotográfico, pero encaja bien en el retrato. Quizá Payne mire arriba en previsión de otro golpe en la cabeza.»

Michael Birt

Giovanni Ribisi
Actor, marzo de 2000, Venice Beach, California.
«La foto estaba perfectamente preparada, pero justo antes de disparar se desencadenó una tormenta de arena y tuvimos que esperar e iluminar de nuevo. La luz natural resultó mejor que la que usamos para la sesión.»

que Birt respeta más. «Su obra es trascendental y enérgica. Estimula saber que trabajó durante tanto tiempo. Creo que para un fotógrafo resulta complicado alcanzar cierta longevidad profesional. Una cosa es ser bueno durante cinco o diez años, pero destacar durante cincuenta o sesenta es otra muy distinta.» Bill Brandt, a quien Birt considera uno de los padres del retrato, ha sido otra gran influencia para él. «Brandt desarrolló un nuevo enfoque del desnudo, un enfoque casi picassiano.»

Birt tomó su primera fotografía a los once años con una Kodak Instamatic que su hermano John le llevó de Nueva York en 1964. «Saqué una foto de John fingiendo que hablaba por teléfono en casa. ¡Aún la tengo en alguna parte!»

De toda la gente a la que le gustaría fotografiar, la idea que más le fascina es capturar a Osama bin Laden con su cámara. «Sería interesante, como mínimo, que la gente en el futuro tuviese su retrato y gracias a él fuese capaz de situarlo históricamente y percibir su carácter mirándolo a los ojos.»

La cualidad que más le gusta extraer de sus modelos demuestra la amabilidad y compasión de Birt. «Captar la generosidad de espíritu de alguien me ayuda a obtener una fotografía mejor. Es importante que los modelos ofrezcan una parte de sí mismos al espectador.»

Son las palabras de un hombre modesto con una perspectiva maravillosa y unos modales encantadores. Quizá por eso resulte natural que titubee cuando se le pregunta cómo definiría su talento. «Eso le corresponde a otros, pero me gustaría que en mis fotografías, por encima de todo, se viese honestidad e integridad.»

Coolio
Rapero, agosto de 1997, Mercado de Carne Smithfield, Londres.
«Colgué a Coolio pero, pese a que lo había ensayado con uno de los montadores, no dejaba de balancearse porque no tenía dónde sujetarse. Esta foto fue la primera que tomé, la única en que no hay movimiento.»

James Wood
Actor, octubre de 1999,
Los Ángeles, California.
«Woods es un hombre
extremadamente generoso
que participa totalmente
del proceso. Es muy divertido.»

Hugh Grant
Actor, junio de 1999, Fulham,
Londres.
«Es una persona fácil
de fotografiar porque sabe
exactamente cómo debe
comportarse ante la cámara.»

Iggy Pop
Músico, enero de 1996,
Notting Hill, Londres.
«Tomé esta fotografía en una
habitación de hotel. No supuso
mucho trabajo; monté un fondo
blanco y situé delante a Iggy
Pop. Él hizo el resto.»

Piper Perabo
Actriz, marzo de 2000, Coney
Island, Nueva York.
«La foto se tomó un día gélido.
Unos días antes había
fotografiado a otros cuatro
actores en las cálidas playas
de California. Traté de lograr
la misma atmósfera en Coney
Island y, pese al frío, Piper
se vistió adecuadamente.
La instantánea está tomada
con luz natural y un flash
de estudio portátil.»

Michael Birt

Chris Buck

Cuando Chris Buck comenzó a fotografiar descubrió que tenía un don natural. «No lo digo por alardear, pero en cuanto cogí la cámara y comencé a disparar se me dio bastante bien; tenía talento para saber qué hace interesante una foto.» Durante la niñez de Chris su padre trabajó para Kodak, detalle que en la actualidad el fotógrafo considera una gran influencia. «No tengo aptitudes especiales para cuestiones técnicas ni mecánicas, pero creo que la fotografía no me intimidó porque era algo cotidiano en nuestra casa.»

Chris nació en Toronto en 1964; creció practicando hockey, y compartiendo juegos de mesa y jugando al escondite con los niños del vecindario. Estudió fotografía en el Ryerson Polytechnical Institute y no tardó en trabajar profesionalmente para las publicaciones musicales locales *Nerve* y *Graffiti*. Tras mudarse a Nueva York a comienzos de la década de 1990 enseguida empezó a trabajar con el representante de artistas Julian Richards, con quien ha continuado colaborando desde entonces. Bajo la tutela de Julian, Chris ha recibido encargos de IBM, Citibank y Hewlett Packard; además, colabora habitualmente en *Esquire* y *Vanity Fair*, entre otras publicaciones.

Aunque Chris Buck es conocido por retratar famosos, tiene «una especie de segundo empleo, pues también fotografío bodegones extraños y gente "real". Se trata de algo nuevo y excitante para mí, y además revierte en mi trabajo con los famosos. Me ha aportado una doble trayectoria en mi carrera. Realizo retratos de celebridades para unos clientes y fotos "basadas en ideas" para otros, y la publicidad se nutre de ambas facetas». En 2002 estableció su segunda residencia en Los Ángeles, lo que le ha proporcionado más encargos de ambos tipos.

Chris se siente satisfecho cuando obtiene una fotografía que a él le gusta y el cliente comparte su opinión. «Cuando el cliente utiliza mi foto favorita de la sesión, y la usa bien, es perfecto. Por supuesto, la mayor parte del tiempo he de conformarme con lo "no perfecto".»

Sabe lo que desea obtener de un retrato, lo cual considera muy importante. «Cualquier fotógrafo de éxito sabe lo que quiere, aunque no necesariamente mientras piensa en el trabajo o incluso cuando está fotografiando, pero sin duda en algún momento vislumbra claramente lo que desea.»

«Por desgracia muchos fotógrafos se centran en lo que a su juicio quieren las revistas en lugar de hacer lo que a ellos les gustaría ver. Muchas de las fotografías que actualmente más se valoran de mi carrera fueron rechazadas por los clientes originales. Recuerdo a un director artístico mirando

John Cusack, actor *(p. der.)*
«No sé en qué estado se encontraba John Cusack cuando lo fotografié, pero diría que tenía la cabeza en otra parte; quizá era demasiado temprano para él. Llevamos un muñeco hinchable de los que se ponen en el coche por seguridad o para prevenir robos. En la foto el muñeco luce la ropa que el estilista había elegido para John. Nunca había tenido mejor aspecto, con un traje Armani y aires de ricacho. Cuando llegamos al estudio, John de repente cogió al muñeco por el cuello y le propinó una paliza, literalmente. Lo agarró del revés y comenzó a golpearle la cara contra el suelo. Después lo lanzó hasta mí de una patada, golpeando la cámara. Fue el único momento en que se mostró vivo en toda la sesión.»

Billy Joel, músico *(der.)*
«Vi esa señal luminosa en un escaparate seis meses antes de hacer la fotografía, mientas escogía un sofá en un almacén de atrezo para otro trabajo. Taché "señal luminosa de aplauso" de mi lista de ideas. Me habían dicho que disponía de media hora para fotografiar a Billy Joel en un hotel. Sin pensarlo, alquilé la señal luminosa de camino a la sesión, sin molestarme en consultar con la revista la tarifa de 275 dólares. La sesión tuvo lugar en una suite; el reportero entrevistaba a Billy Joel en el salón mientras nosotros nos preparábamos en el dormitorio. Cerramos las cortinas prácticamente del todo, enchufamos el letrero y sacamos unas polaroid para encontrar el equilibrio lumínico adecuado.»

Mickey Rourke, actor
«En realidad el protagonista de esta fotografía es el perro. Mi novia bromea con que me he convertido en fotógrafo de perros. Lo cierto es que no me gustan, pero sé sacarlos bien y tengo buena empatía con ellos. Una fotografía de un gato no posee la misma profundidad emocional que la de un perro.»

Dolly, la oveja clonada
«Montamos un fondo azul entre el heno del redil y luego el cuidador llevó a Dolly. Él la sujetaba y nosotros nos colocábamos. Cuando la soltaba, la oveja se alejaba. Probamos diversos recursos para que el cuidador la sujetase sin que apareciese en el encuadre, pero Dolly se iba siempre. Casi sin darme cuenta se nos acabó el tiempo, tenían que trasladar a Dolly para atender otros compromisos con los medios de comunicación. "Dios mío", pensé. "Me han enviado hasta Escocia, tengo la posibilidad de salir en portada y aún no he hecho nada aprovechable." Así que coloqué el flash portátil en la cámara y disparé tal cual. Llevaba un tiempo empleando esa técnica en los retratos: te acercas al sujeto para que el flash resulte adecuado y así logras cierta intensidad. No pretendía sacar nada en particular de la oveja, pero en aquella situación habría probado cualquier cosa.»

Chris Farley, actor y humorista
«Unos meses después de la muerte de Chris Farley revisé los contactos de la sesión que habíamos compartido y encontré un montaje que, en su día, me había parecido demasiado serio pues, tratándose de él, las fotos resultaban innecesariamente oscuras y taciturnas. Pensé que estaba imponiendo mi estilo a alguien, y no me pareció apropiado. Sin embargo, al revisarlas encontré un par de fotos que me parecieron de una gran fuerza gráfica y creo que, debido a que había muerto de forma trágica, mostraban a un Chris Farley dramático y algo triste que resultaba revelador en vez de pretencioso.»

mi hoja de contactos y después a mí, horrorizado, con una expresión del tipo: "¿En qué estabas pensando? No podemos publicar esto".»

Tanto los amigos como los clientes dicen a Chris Buck que a menudo reconocen su estilo cuando hojean una revista. Comentan su seco sentido del humor y la extraña cualidad física de los modelos. La forma en que sitúa a las personas en la foto, generalmente con un toque anómalo, es un rasgo compositivo característico. «Aporto mi sentido estético a cualquier fotografía que hago, no puedo evitarlo. Las fotos comienzan serias y oscuras, y hacia el final de la sesión siempre hay una pequeña broma.»

Chris cree que su punto débil probablemente sea similar al de otros fotógrafos. «El miedo. El miedo al fracaso, a intentar algo nuevo, a lo desconocido. Creo que mucha gente, dentro y fuera del mundo creativo, debería superar ese miedo.»

Por otro lado, considera que la tecnología «pobre» forma parte de su estilo. «Apenas uso iluminación especial ni trucos de cámara. Tiendo a ejecuciones y soluciones simples, incluso con las ideas sofisticadas. Me parece más honesto y, por tanto, más efectivo como imagen.»

Una de sus primeras influencias fue Irving Penn. «Me gustan sus retratos, que son simples y fuertes, pero los mejores además son extraños. Se trata de una extrañeza que parece inherente a las personas y a la fotografía, no un truco.» Otra influencia fundamental en su carrera ha sido el fotógrafo musical Anton Corbijn. Para Chris, los retratos musicales de Corbijn poseen una aureola de misterio: «Son extraños y simples, con luz natural pero de belleza mítica; un antídoto refrescante contra la típica fotografía musical joven y enérgica». Hay personas a las que Chris lamenta no haber podido fotografiar. «Desgraciadamente las personas que más deseaba fotografiar están muriendo... Me habría gustado retratar a Richard Nixon y a Frank Sinatra. Los personajes legendarios, los anteriores a mi época, siempre me han parecido más mágicos. Me encantaría compartir una sesión con Eric Rohmer, el director de cine francés, pero tiene fama de ser solitario. Tengo pensado escribirle una carta agradable... ¡Me pondré a ello en cuanto deje de aplazarlo todo!»

Aunque siempre le interesaron los medios de comunicación en cualquiera de sus manifestaciones, parece que lo que determinó su vocación fue el componente práctico de ser fotógrafo. «El factor decisivo que hace estupendo ser fotógrafo es que te responsabilizas de tu obra. Si las fotos son buenas, me llevo todo el mérito; si son malas, asumo la responsabilidad. Y afortunadamente puedo aprender y hacerlo mejor la próxima vez.»

E. J. Camp

Tras graduarse en el Rochester Institute of Technology de Nueva York, E. J. Camp se trasladó a la ciudad de Nueva York para trabajar de asistente con los fotógrafos de moda Albert Watson y Bruce Weber. En aquella época, Laurie Kratochvil, la editora fotográfica de la revista *Rolling Stone*, le pidió que retratase a Christie Brinkley para la portada. Su siguiente encargo para la revista fue con Annie Lennox. «A partir de ese día, supe que siempre sería retratista», recuerda.

Camp viaja a menudo entre Nueva York y Los Ángeles fotografiando a gente muy conocida de la industria del entretenimiento y se mantiene ocupada con una abundante cartera de clientes comerciales. Las mejores agencias la reclaman, y ha realizado trabajos excelentes para las cadenas de televisión ABC y E! Entertainment, así como para American Express, Danone, General Electric, e IBM, entre otras empresas. Entre sus clientes del cine y de la música se cuentan VH-1, Paramount Pictures y Sony Pictures. Sus obras para carteles cinematográficos van desde *Top Gun* —el primero que realizó— hasta *Austin Powers: La espía que me achuchó*. Las revistas *Rolling Stone, Premier, Esquire, Forbes* e *In Style* la consideran una de sus mejores fotógrafas.

Gracias a su paciencia con los modelos durante las sesiones y a su capacidad para conseguir que se sientan cómodos, disfruta del respeto y la simpatía tanto de las mayores estrellas como de sus representantes. «Mantengo la calma si, como puede suceder a cualquiera, se sienten inseguros ante la cámara y logro que bajen la guardia. En última instancia trato de hacerles reír para que se relajen. Creo que se me da bien adivinar qué es lo que hace que alguien se sienta cómodo.» Se enorgullece de su capacidad para finalizar las sesiones con una buena foto, «sin importar los obstáculos y las circunstancias que pueda encontrarme».

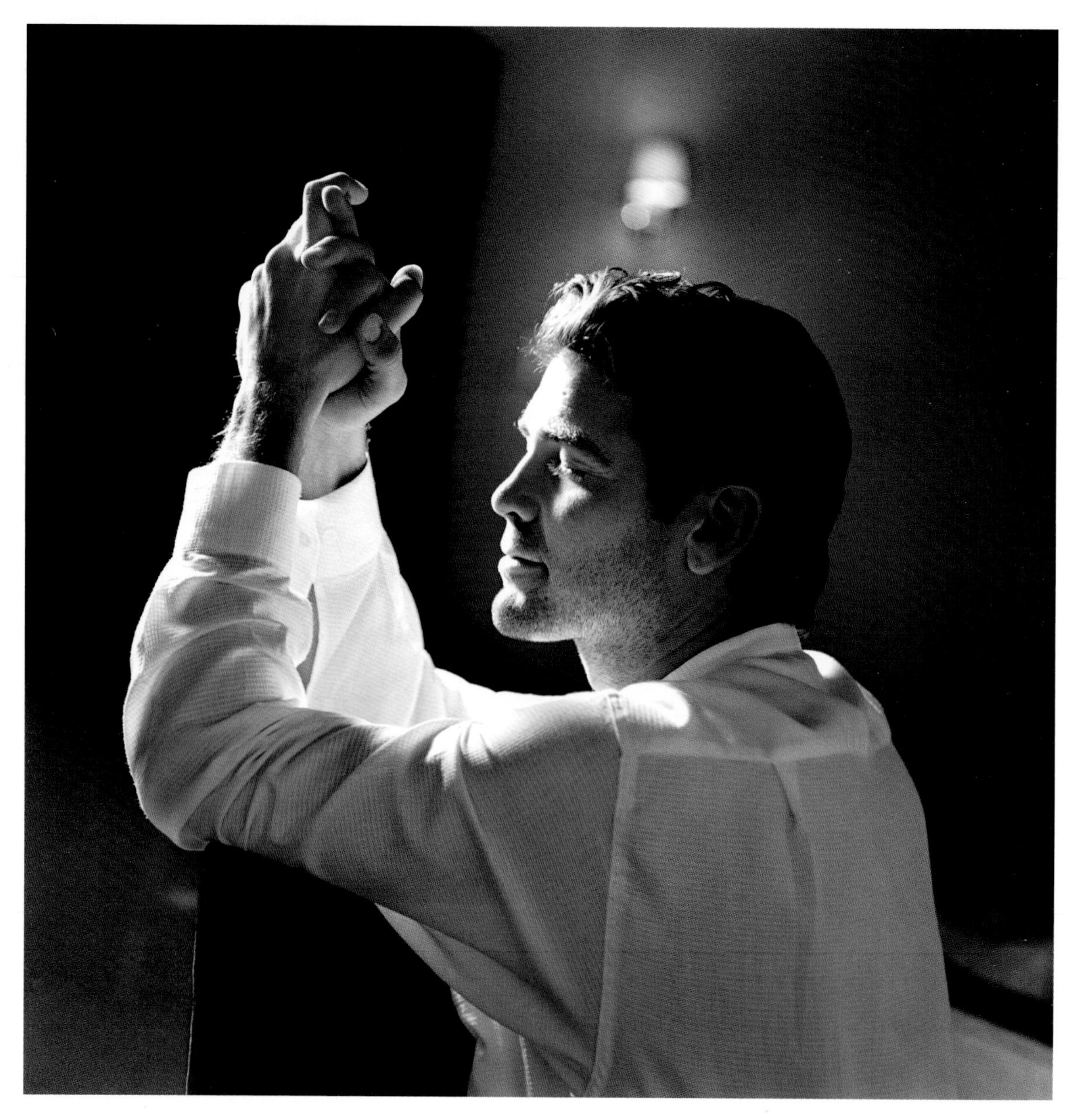

George Clooney, actor
«George Clooney nos enamoró a todos durante la sesión. Se mostró agradable con todo el mundo y resultó ser muy fotogénico. Trabajar con él fue tan divertido que más que una sesión fotográfica parecía una reunión de amigos. En eso consiste un encargo perfecto.»

Jodie Foster, actriz
«Para este encargo quise establecer un vínculo con la película que Jodie presentaba en aquel momento, *La habitación del pánico*, así que mandé construir una caja roja para que se metiese en ella. Jodie es bastante menuda, pero el vestido le iba algo estrecho de hombros. Lo sujetamos con cinta por detrás y pareció encontrarse más cómoda... Todo lo cómoda que podía estar encogida en el interior de una caja pequeña con un vestido de fiesta ceñido.»

E. J. Camp

Kevin Spacey, actor *(izq.)*
«Kevin intima con la cámara. Cualquier cosa que yo le pidiese, él la llevaba un paso más allá para que la foto resultara más divertida. Un individuo manteniendo en equilibrio una taza de café sobre las rodillas puede quedar muy raro, pero Kevin logra que las rodillas parezcan el lugar más natural para apoyarla.»

Camp se inspira en el trabajo de George Hoyningen-Huene, a quien considera un auténtico pionero en este campo. «Ya en 1929 sacó el trabajo comercial del estudio», comenta. «Abrió nuevas vías que actualmente la mayoría de los fotógrafos profesionales transitan sin cuestionarse.»

Para Camp, la felicidad es tan simple como sostener una cámara. «Ya sea Tom Hanks, Shaquille O'Neal o Carly Fiorina, durante unas horas al día logro trabajar con personas que se encuentran en la cumbre de su profesión y conocerlos un poco. ¡Y además hacen lo que les digo!» Independientemente de quién sea el sujeto, hay ciertos momentos que contribuyen al puro deleite que para Camp supone sujetar la cámara y disparar. La cualidad que más admira en quienes posan para ella es «la buena voluntad con que confían en la dirección que daré a la fotografía».

Las agencias y los representantes de la industria, aparte de los clientes privados, le encargan un trabajo que ella realiza de forma natural y coherente: una única y extraordinaria imagen con su sello particular. «Mis obras no comprometen la integridad del retratado; procuro que parezca cercano, aunque recurro a cierta dosis de extravagancia», afirma E. J. Camp., y añade: «Mis fotos no se limitan a un estilo. Trato de superarme en cada sesión».

Cuando se le pregunta a quién le gustaría retratar, Camp bromea: «Amelia Earhart, si soy capaz de encontrarla». Es más, ante la pregunta de qué habría sido de no ser fotógrafa, responde con franqueza: «Vagabunda».

Camp se mantiene entre la élite en una actividad de competencia feroz y con horarios y cargas de trabajo rigurosos. «Continuar teniendo éxito en un negocio tan competitivo y cambiante es mi mayor logro», afirma. Una trayectoria larga y prestigiosa destaca a esta creativa a quien, además, se reconoce su aportación profunda y prolífica al mundo de la fotografía y el arte.

Samuel L. Jackson, actor *(der.)*
«Sam estuvo extremadamente relajado. La sesión comenzó a cobrar intensidad cuando empezó a ponerse el sol tras un edificio del otro lado de la calle. Sam dijo bromeando que yo no me reía demasiado, y como por lo general no soy tan seria me di cuenta de que estaba permitiendo que la sesión me absorbiera. Sonreí y saqué intantáneas de menor complicación técnica, que resultaron ser las mejores.»

John Clang

Nacido en 1973, John Clang es el fotógrafo más joven de este libro. En muy poco tiempo ha creado una obra sorprendente y ha obtenido un gran reconocimiento. Alimentado por su pasión por la fotografía y el aprendizaje, Clang se esfuerza constantemente por pulir sus habilidades y adquirir otras nuevas.

Clang se crió en Singapur y fue alumno en la escuela de arte, aunque por poco tiempo pues pronto abandonó los estudios al darse cuenta de que la escuela no lo conducía a los lugares donde quería estar. «¿Por qué seguir?», se preguntó entonces. En lugar de estudiar decidió trabajar de ayudante de un fotógrafo cuyas obras había visto en la prensa. «Lo llamé y me ofrecí a trabajar gratis para él.» El fotógrafo aceptó y le brindó un valioso aprendizaje. Clang sostiene que así aprendió más de lo que habría aprendido con una educación formal, y actualmente aboga por el aprendizaje a través de la práctica como ayudante.

«¡Ayudante, ayudante y ayudante! Es el mejor comienzo para un fotógrafo joven», insiste con entusiasmo. Es más, explica su éxito a tan pronta edad por el hecho de que hace cuanto sea preciso por conseguir que la gente que él quiere vea su obra. «Es lo más importante.»

Clang recuerda que el motivo de sus primeras fotografías fue una chica —quien posteriormente se convertiría en su esposa—, y añade que él tenía entonces catorce años. A los veintiuno, ya exhibía sus fotos en muchas galerías de Singapur al tiempo que realizaba instalaciones artísticas. Dos directores de agencia visitaron una de sus instalaciones, les gustó su estilo y lo contrataron para realizar una campaña fotográfica para Singapore Airlines. Ese encargo marcaría el inicio de su carrera en la fotografía publicitaria.

Tras terminar el trabajo para Singapur Airlines Clang se mudó a Nueva York y Nordstromshoes.com lo contrató para una campaña en Estados Unidos. Posteriormente comenzó a trabajar para empresas tan relevantes como Nordstrom, IBM, Adidas, Reebok, Hermes y British Airways, y para publicaciones como *Interview, The New York Times Magazine* y *Rank*, entre otras. Clang considera su traslado a Nueva York junto a su esposa uno de sus mayores logros hasta la fecha.

Adora vivir en Nueva York. «Podría decirse que esta ciudad es el paraíso de los fotógrafos, ya que aquí tienes más orgullo profesional y eres más respetado; se te escoge para realizar un trabajo por tu sentido visual, por tu estilo.»

«Este es un retrato de Beon. He realizando varias series sobre él a lo largo de los años. En esta foto se estaba convirtiendo en mí, ya que constantemente me proyecto junto a mis pensamientos en las imágenes. Aquí está retratado como un "gato callejero" de Singapur.»

«Parte de la serie sobre la "Zona Cero". Esta fotografía fue tomada dos meses después del atentado en los alrededores de la zona. Trataba de captar lo que sentía. Eliminar el fondo y descontextualizar a la gente me ayudó a centrarme en las relaciones humanas en lugar de hacerlo en el acontecimiento dramático.»

John Clang

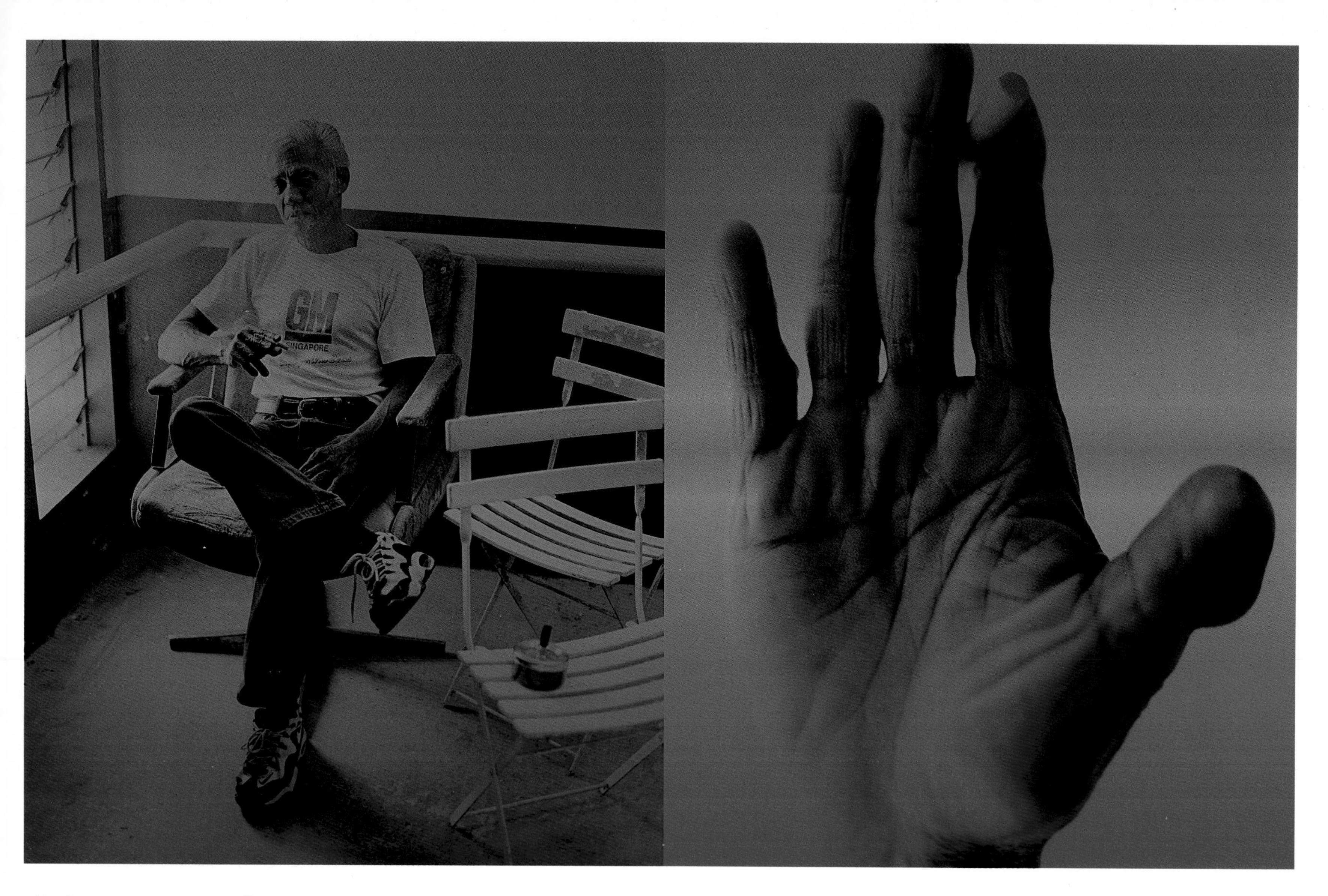

«Esta foto pertenece a una serie antigua. Creo firmemente en el destino. Realicé una serie de retratos sobre algunas de las personas que me rodeaban y despertaban mi curiosidad. Las palmas de sus manos me contaban su historia.»

Supone un gran contraste con sus días en Singapur, donde se esperaba que mantuviese un estudio con ayudantes a jornada completa. «Tenía que trabajar y no podía rechazar ningún encargo, aunque no me gustase; de lo contrario no ganaba el dinero suficiente para vivir.»

Nueva York también le proporciona la inspiración que todo artista necesita. En particular las películas alimentan esa fuerza creativa. Es un hombre y un artista sencillo, y quizá esa sea la palabra que mejor describe su trabajo además de su fuente de inspiración más profunda. «Para mí la vida cotidiana, vivir y respirar, ya es pura inspiración. Si quieres inspiración entra en una habitación con el aire viciado, aguanta la respiración durante un minuto y medio, y luego dirígete a la ventana, ábrela y respira. Esa bocanada es la vida.» Sus fotografías representan ese soplo de aire fresco.

Clang también habla con frescura. «Nunca me he considerado un retratista. La fotografía era un medio fascinante con el que expresarme cuando era adolescente. Me permitió mucha libertad, así como la alegría de explorar y comprender a quienes retrataba, especialmente a aquellos a los que quería. Cuando miro mis retratos, tiendo a verme proyectado en ellos. Creo que la mayor parte del tiempo realizo "autorretratos" aunque varíen los modelos», dice Clang. «No estoy seguro de por qué me gusta lo que hago; aún busco la respuesta a esa pregunta. En serio, no sé si me gusta lo que hago, pero sin lugar a dudas me apasiona. Se ha convertido en parte de mí. Me resulta natural, como respirar», comenta Clang cuando se le pregunta por qué le gusta fotografiar. «Cuando me siento cómodo con mis imágenes soy feliz.»

En realidad nunca meditó mucho sobre el hecho de ser conocido como fotógrafo de moda o fotógrafo comercial y desea regresar a la fotografía como forma de arte y mostrar su trabajo en galerías por todo el mundo. Recientemente se ha presentado su primera exposición individual en el local de Diane von Furstenberg en Nueva York. La exposición estaba compuesta por diez imágenes y una videoinstalación.

Además, Clang fue director de fotografía en una revista llamada *Werk*,dedicada al trabajo de fotógrafos artísticos y de moda, en la que colaboró con su mentor y propietario de la publicación, Theseus Chan. Aquel trabajo, que consistió en revisar las propuestas para la publicación, le encantó. «Buscaba a fotógrafos que se sintiesen cómodos con su propio sello, con su estilo.» Pese a lo mucho que le habría gustado continuar en el puesto, el trabajo le impidió seguir colaborando con la revista. Quizá sea su sensibilidad y su visión de la vida lo que le ha hecho llegar tan lejos en tan poco tiempo. Ello, conjugado con su carismática y encantadora naturaleza, produce esas imágenes simples que lo caracterizan. Respecto a su obra comenta: «Mis imágenes te atraen de la forma más sutil y comedida. En silencio, pero te llaman».

Cuando trabaja con personas le conmueve sobre todo un lenguaje corporal hermoso. «Habla con más claridad que las palabras.» Es un maestro a la hora de capturar ese lenguaje no verbal con la cámara para que todo el mundo pueda estudiarlo y disfrutarlo.

Admira el trabajo del artista cubano Félix González Torres, conocido sobre todo por la valla publicitaria que instaló alrededor de Nueva York en 1992. De ser posible, a Clang le encantaría fotografiar al ex primer ministro de Singapur, Lee Kwan Yew.

Finalmente, no sorprende que un hombre que ha asumido tales riesgos a una edad tan temprana —como mudarse a Nueva York con su joven esposa para hacerse un hueco entre los más grandes— admita que, de no haber sentido la pasión por la fotografía, se habría dedicado al póquer profesional.

«Esta pertenece a una serie que sigo completando que capta lo que siento hacia los padres. Mi esposa, Elin, y yo los echamos mucho de menos. Temo olvidarlos.»

Sophie Dahl, modelo
«Es una mujer a la que adoro. Es una escritora de talento y una gran modelo. Tengo la fortuna de conocerla. La foto se usó para la portada de la revista *Werk*.»

William Claxton

Claxton recuerda que la primera foto que sacó fue la de su reflejo en el espejo a los siete años de edad. De niño pasaba el tiempo coleccionando y escuchando discos de Duke Ellington, Lena Horn, Count Basie y Tommy Dorsey. Más tarde, de joven, estudió psicología en la Universidad de California, en Los Ángeles, y durante esa época comenzó a fotografiar a los músicos de jazz como afición.

Para ello usaba una cámara 4x5 Speed Graphic, que ya había quedado obsoleta incluso entonces. «Cuando trabajaba, sosteniendo aquella cámara grande y tosca con bombillas de flash y cables colgando, los amigos se reían de mí y comentaban que parecía un fotógrafo de crímenes.»

Claxton había comenzado a desarrollar su estilo único al conocer a Dick Bock, con quien se asoció para crear el sello discográfico Pacific Jazz. Claxton fotografió todas las portadas de los discos y, al poco tiempo, otras discográficas empezaron a encargarle las fotos de sus carátulas. Hace tiempo que forma parte del mundo del arte y el entretenimiento, y le encanta su trabajo con músicos de jazz «porque, por norma, no se andan con tonterías». A comienzos de la década de 1960 conoció a Peggy Moffit, una modelo que no solo vestía la ropa sino que además la inspiraba. Fue un encuentro fundamental en su vida. Actualmente llevan cuarenta años felizmente casados, intercambiando pensamientos e ideas como amigos además de como marido y mujer.

La obra de Claxton no tardó en publicarse en revistas prestigiosas y exponerse por todo el mundo. Desarrolló una manera de retratar a los músicos como personas, no solo como artistas. «Los estudio cuidadosamente antes de fotografiarlos, como lo haría con un bailarín, un actor o incluso una persona corriente realizando una acción cotidiana. Me fijo en la forma en que sus caras y sus cuerpos reflejan o atrapan la luz, y desde qué ángulos y en qué momentos muestran su mejor aspecto. Por supuesto hago todo esto mientras escucho su música. En cierto sentido, los oigo con los ojos.»

Todo tipo de personas adoran a Claxton por su estilo, humor y cortesía, y esas mismas cualidades son las que el fotógrafo admira en los demás. «Conozco a gente de todo el mundo y mi reto consiste en sacarlos bien..., en plasmar sus mejores cualidades..., sean quienes sean, se trate de un tirano malvado o un niño inocente.»

Y eso es lo que hace. Sus retratos muestran la belleza que ve en los demás. «Odio las fotos feas de quien sea.

John Cassavetes, director
«Esta fotografía la tomé en Burbank, California, en 1962. Durante un encargo para la revista *LIFE* conocí a John en las oficinas de Warner Bros Studios, una tarde después de que hubiese estado trabajando en su primera película, *Ángeles sin paraíso*, con Judy Garland y Burt Lancaster. Dijo que estaba exhausto y se desplomó sobre la hierba. Me pareció estupendo, ya que nunca se me habría ocurrido pedirle algo así. Me tumbé boca abajo, coloqué la cámara a la altura de su mirada y disparé. Saqué la foto con una Nikon F de 35 mm y película Tri-X.»

Chet Baker, músico
«Esta foto la tomé en Hollywood en 1954. Chet estaba sentado al piano en un estudio de grabación intentando recordar algún tema que había compuesto. Observé el sorprendente reflejo sobre la tapa del piano y coloqué sobre ella la Rolleiflex. Fue una oportunidad única porque Chet se apartó casi al instante. Saqué la fotografía con sumo cuidado a 1/30 de segundo con f 3'5 bien abierto.»

Estoy consagrado a la belleza. Sé que hay belleza en toda clase de seres humanos. Así que encontrar y capturar esa belleza me resulta relativamente sencillo. Soy feliz cuando logro una imagen hermosa y significativa de un sujeto.» También es un maestro captando el atractivo tanto del músico que retrata como de su instrumento musical.

Ha fotografiado a famosos —escritores, actores, directores, compositores, artistas, músicos y diseñadores de moda—, y por supuesto a familiares y amigos. Resulta interesante que estos últimos a menudo sean sus modelos y que sus modelos acaben convirtiéndose en sus amigos. «Por encima de todo, mi trabajo se fundamenta en la amistad.»

En esta época de agentes, abogados y estilistas, Claxton prefiere los tiempos en que disponía de un artista para él solo, en que podía llegar a conocerlo personalmente y crear una mayor intimidad. Considera que esa es su gran baza. «Destaco la capacidad que tengo para que la persona se relaje y ganarme su total confianza.» Si tuviese la oportunidad, a Claxton le gustaría fotografiar a líderes mundiales. «Querría conocerlos aparte de captar su auténtica personalidad en la instantánea.»

Su punto débil son los asuntos financieros relacionados con el arte. «A veces olvido cobrar a un cliente cuando estoy preocupado por lograr la fotografía adecuada. Por eso tenemos representantes.» En cierta ocasión, el músico de jazz Dan St. Marseille preguntó si Claxton le fotografiaría para su primer CD. «Lo conocí y lo escuché tocar», comenta. «Fue tan sincero y era un músico tan bueno que acepté realizar la sesión por el coste de los materiales.» Aquel esfuerzo valió la pena, pues poco después Dan compuso un tema para Claxton titulado «Claxography» en homenaje al hombre con el que acabó trabando amistad.

Cuando no está haciendo fotos, a Claxton le encanta pasar el rato en el cuarto de revelado. «Es el lugar donde hago descubrimientos y creo de nuevo. A veces la foto que consideraba genial no resulta tan fabulosa. Quizá otra resulta más interesante al ampliarla, y comienza a surgir una imagen totalmente nueva y excitante en el papel tras aplicar el revelador. Se trata de una sorpresa visual que puede ser gratificante.»

Claxton ha disfrutado de una carrera larga y fructífera. Y si la fotografía no le hubiese seducido de joven, está seguro de que se habría convertido en un «músico feliz». En su libro *Young Chet: The Young Chet Baker*, Claxton lo resumió de la siguiente manera: «La fotografía es el jazz de la vista. Lo único que pido es que se escuche con la mirada».

Natalie Wood, actriz
«Nueva York, 1961. Para un encargo de Paramout Pictures me pidieron que realizase algunos retratos de Natalie destinados a la promoción de la película que acababa de rodar con Steve McQueen, titulada *Amores con un extraño*. Disparamos algunas fotos en su suite del hotel, pero no había magia. Entonces sugerí que saliésemos al balcón. Guau, a nuestros pies se encontraba casi toda la Quinta Avenida. ¡Natalie en Nueva York! Hacía tanto frío que aguantamos dos minutos escasos antes de volver a la cálida habitación. Pero no necesitamos más tiempo: dos minutos. Usé una Leica M3 con película Plus X.»

Marlene Dietrich, actriz y cantante
Las Vegas, 1955.
«Columbia Records me encargó una sesión glamourosa de la legendaria belleza. Cuando llegué a su camerino, me encontré con una señora mayor, diminuta y casi marchita —pensé yo— y de pelo ralo. Con su fuerte acento alemán, me pidió que guardase la cámara y me sentase junto a ella en la mesa de maquillaje. Entonces comenzó a maquillarse, mientras iba charlando conmigo y averiguaba todo lo que podía sobre mí y mi metodología de trabajo. Tras un largo rato, chasqueó los dedos; un ayudante le llevó su peluca, se la colocó cuidadosamente sobre la cabeza y le realizó algunos retoques. Marlene tenía un aspecto fabuloso. Entonces se volvió, sonrió y me dijo: "Ahora puede coger su cámara".»

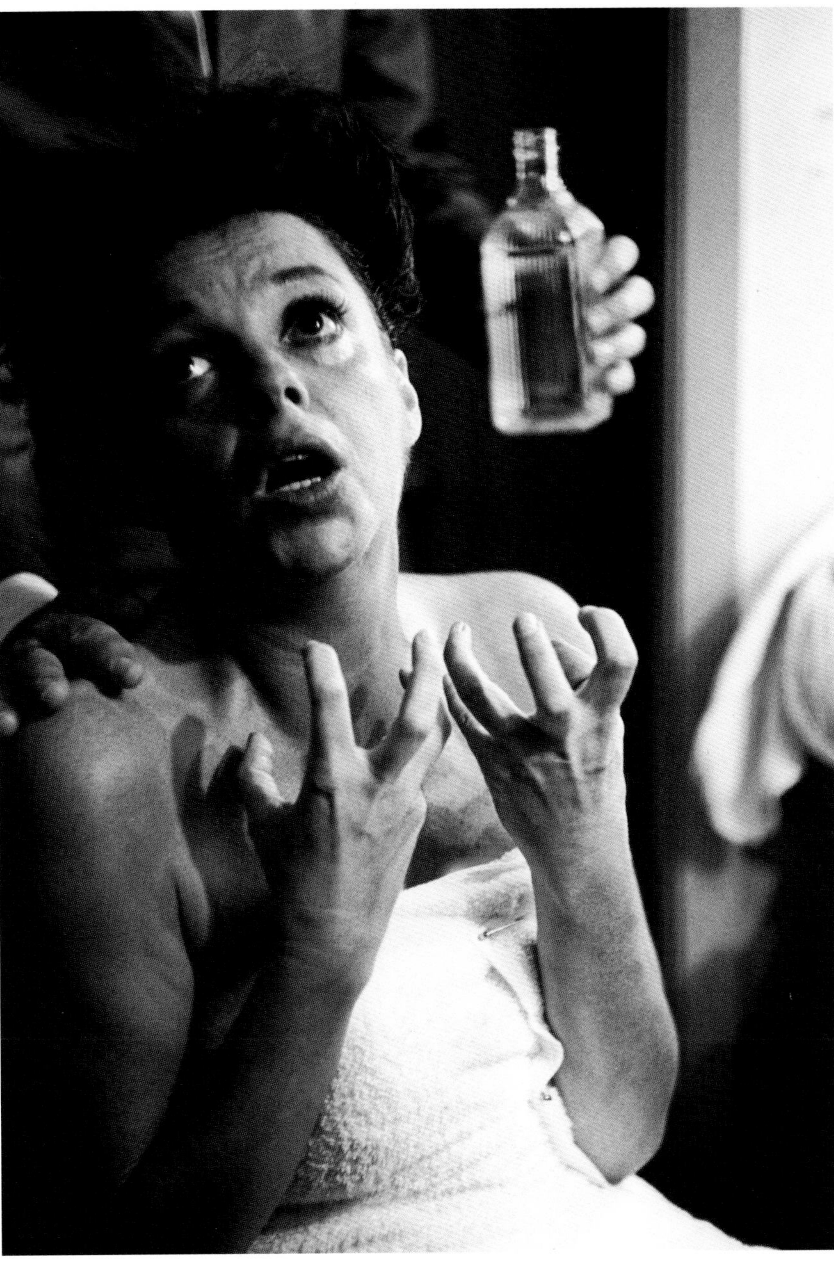

Judy Garland, actriz y cantante
«Esta foto fue tomada en Las Vegas en 1961. Mi agente me encargó un reportaje gráfico de Judy para alguna revista de cine hortera. Acepté de inmediato solo por poder estar junto a ella. Judy estaba en su camerino rodeada de agentes, relaciones públicas, una maquilladora, una masajista y parásitos varios. Estaba tomándose unas pastillas con unos sorbos de Liebfraumilch. Era un manojo de nervios, y la gente a su alrededor trataba de calmarla. De pronto cogió una botella de alcohol etílico y comenzó a beber, pero la maquilladora la detuvo: "No, no, Judy... ¡Eso no!". Una vez vestida y maquillada, salió al escenario y comenzó a cantar el primer tema y, por supuesto, estuvo asombrosa y obtuvo un gran éxito. Esta imagen tan íntima la conservé para mí. No quería que una revista barata para fans mostrara una fotografía tan reveladora.»

Craig Cutler

Tan solo un año después de haber abierto su estudio fotográfico en Nueva York, en 1987, Cutler se convirtió en uno de los fotógrafos publicitarios más buscados de la industria. Ha sido el artífice de campañas innovadoras para clientes tan importantes como Rolex, Tiffany & Co., Bombay Gin, Hilton Hotels o Mercedes Benz y ha recibido diversos premios prestigiosos.

Pese a disfrutar de un gran reconocimiento por su trabajo comercial, Cutler es un prolífico fotógrafo de viajes y ha reunido una gran colección de obras gracias a encargos en Italia, Francia, Inglaterra y Sudamérica. Además, aprovecha esos viajes para crear sus propias composiciones paisajísticas y sus retratos.

Cutler estudiaba diseño industrial pero un día se dio cuenta de que no quería pasar el resto de su vida sentado a una mesa. «Cualquier trabajo que no fuese el retrato fotográfico ¡probablemente me mataría!» A Cutler le gusta que viajar forme parte del trabajo, y disfruta de su carrera fotográfica. «¡Me cuesta mantener la atención en algo mucho tiempo!», comenta entre risas.

Hasta hace poco, evitaba el retrato en la medida de lo posible. «Viajo mucho, y en mis viajes me sentaba y esperaba a que la gente se fuese. Me gustaban los sitios vacíos y austeros. Tras esa breve fase de locura, anhelé haber realizado retratos en todos los lugares en que había estado.»

«Comencé a darme cuenta de que me gustaba retratar a la gente en los distintos sitios y ambientes que visitaba durante los viajes, así que di un giro de 180°. Ahora, cuando viajo, me cuesta hacer las fotos que antes me gustaban. De hecho, solo me interesan ya los retratos. No lo puedo explicar, pero ha ocurrido así.»

Gracias a su ingenio y sentido del humor Cutler cae bien y enseguida se gana la confianza de la gente a la que quiere fotografiar durante sus viajes. «Los retratos en los que realmente me he centrado son los que muestran juventud. La juventud me fascina, los niños, los adolescentes y los universitarios. Me gusta fotografiar a críos a los que acabo de conocer porque es muy divertido. Tienen mucha vida por delante y eso se ve en sus ojos. Encontrar... no, tropezarse con una persona, charlar un rato y descubrir un emplazamiento maravilloso para accionar el disparador de mi cámara, eso es lo que deseo actualmente.»

Cuando Cutler encuentra esa localización ideal con la iluminación adecuada halla la perfección. «Sé que suena a cliché, pero cuando das con una persona interesante, la luz es favorecedora y trabajas duro, es decir, cuando consigues reunir esos tres elementos importantes, ni siquiera así las fotos salen siempre como quiero.»

«Si no hay nada en el fondo y de repente asoma algo, todo funciona. Cuando encuentro a alguien busco desesperadamente un lugar donde situarlo, y creen que estoy completamente loco, pero funciona. Es la localización la que debe parecer casi secundaria, subliminal respecto al retrato. Mucha gente saca fotos de espacios con gente, pero no hace más que ubicarlos en un lugar; me parecen solo instantáneas. Casi les perjudica. Tratan de lograr espontaneidad sin ir un paso más allá.»

Cuando Cutler viaja recorre ciudades y pueblos, y se topa con personas que pasan a convertirse en sujetos fotográficos. Así, sin ideas preconcebidas sobre lo que encontrará o fotografiará, halla los modelos perfectos para sus creaciones artísticas. «Creo que eso es lo que destilan mis fotografías», afirma. Ha habido ocasiones en que ha

Amanda *(p. der.)*
«Tuve la suerte de encontrar a Amanda caminando por la calle junto a ese viejo Buick en Austin, Texas. Creí que funcionaban bien juntos.»

Byron y Courtney *(der.)*
«Esta joven pareja acababa de casarse y vivía detrás del hotel en el que nos alojábamos en Quartzite, Arizona. La temperatura en ese pequeño pueblo supera los 43 °C en verano.»

Samantha Delaport *(junto a estas líneas)*
«Samantha vive en la costa de Le Havre, Francia, en una pequeña población de turismo familiar. El ambiente allí es tranquilo, silencioso y apacible, lo cual creo que emana de Samantha.»

Craig Cutler

TREE RIPENED
Louisiana Citrus
TREE RIPENED
Louisiana Citrus

Hammer
«Se hace llamar Hammer. Ha vivido y trabajado en el naranjal de Port Sulfur, Luisiana, toda su vida.»

visto a alguien a quien le gustaría fotografiar pero lo ha dejado pasar sin hacer nada y a los dos minutos se ha arrepentido.

Incapaz de quedarse con una sola forma de expresión fotográfica, afirma: «¡Siempre me emociona la última foto que he hecho y la siguiente es la que realmente deseo hacer!».

Para lograr el clásico sello de sus fotografías, explica: «Trato de despojar de expresiones emocionales a las personas y luego intento captar la mínima actitud. Solo quiero que cuando alguien mire luego la foto trate de averiguar quién puede ser esa persona, sin sentir tensión o felicidad o tristeza o lo que sea. Deseo romper la parte "interna" de esas personas.»

«Uno de mis fotógrafos favoritos de todos los tiempos es Jacques Henri Lartigue por la manera en que capta la inocencia.» El otro fotógrafo de talento del que reconoce su influencia en su carrera en Rineke Dijkstra. «Acabo de ver una exposición de seis de los hermosos retratos de Dijkstra. Fotografió a la gente en la playa, en la orilla, lo cual me ha chocado mucho. Pero quizá las imágenes más sorprendentes fuesen las seis fotos de una niña refugiada que había fotografiado cada dos años en su apartamento. Dijkstra capta la inocencia admirablemente.» Con lo que más se identifica de la obra de Dijkstra es con la ausencia de trucos: la luz es la que hay y el retrato trata sobre la persona. «Aunque haya algo en el fondo, Dijkstra tiene una forma bella de encuadrar.»

Dado que Cutler evitaba el retrato al comienzo de su carrera, la historia de su primera fotografía resulta irónica. «Tenía una Kodak de doble lente. Saqué una foto de gente durante una excursión en Amish County, aunque se supone que no hay que fotografiarlos», admite como un niño arrepentido. Quizá sorprenda que se relaje practicando la jardinería, y comenta: «De no haber sido fotógrafo, sería jardinero. Es la mejor terapia del mundo. Aunque no se me da muy bien, me encanta podar y cavar, y procuro dedicarle todo el tiempo posible.»

Eugenie Denoia
«Eugenie es de procedencia marroquí. Saqué esta foto en los jardines de Luxemburgo, en París. Me encanta la forma en que su pelo se confunde con el follaje otoñal de los árboles. Además, sus ojos me parecen tremendamente expresivos.»

Craig
«Craig es un joven empleado de casino en Las Vegas con el que me encontré mientras daba un paseo durante un descanso.»

Jenna
«Jenna toca en un grupo, pero se está planteando retomar los estudios de arte. De momento trabaja en un asador local en Las Vegas.»

Terence Donovan

Terence Donovan nació en el East End londinense en 1936. Tras haber dejado el colegio a los once años de edad, decidió seguir los pasos de su tío, que era litógrafo, y estudió en la London School of Engraving and Litography. Posteriormente trabajó en el departamento fotográfico de un fotograbador de Fleet Street. Fue allí donde descubrió la fotografía y quedó prendado de ella. A los quince años de edad se obligaba a acercarse a la gente para fotografiarla. «¡Hacía cualquier cosa que me asustase!» Su consejo para los jóvenes fotógrafos siempre ha sido que deben evitar hacer fotos a hurtadillas con un teleobjetivo; por el contrario, han de coger uno de 35 mm y acercarse al sujeto antes de disparar la cámara.

Como otros muchos grandes fotógrafos, Donovan aprendió casi todo lo que sabe siendo el ayudante de leyendas de su época como Michael Williams, John Adrian y John French. Trabajó como fotógrafo militar mientras hacía el servicio y tras licenciarse abrió su propio estudio fotográfico.

El trabajo de Donovan podría resumirse en esta frase: «A menudo imitado pero nunca igualado». Durante la década de 1960 se convirtió en uno de los tres fotógrafos infames y vanguardistas a los que Cecil Beaton bautizó como «los Tres Terribles». Los otros dos eran David Bailey y Brian Duffy. Donovan era conocido por captar la imagen que el público tenía del Londres de la época: diversión, sexo y dinero. La gente creía que cada sesión terminaba con algo de sexo y que los fotógrafos eran las personas más enrolladas y carismáticas del planeta.

Fue uno de los primeros fotógrafos de moda que rompió moldes sacando a las modelos del estudio a la calle para captar el contraste entre moda e industria. Se percató de que ampliar así las localizaciones significaba una evolución natural para él, una evolución que muchos imitan en la actualidad.

Sus fotografías para la revista de moda *Town* le granjearon la notoriedad en la industria. También colaboró habitualmente con *Queen, Vogue, Ellen* y *Marie Claire.* Pero sobre todo es famoso por sus retratos, entre los que se incluyen los de Jimi Hendrix, Margaret Thatcher, la princesa Diana de Gales y la duquesa de York.

A lo largo de cuarenta años de carrera realizó casi un millón de fotografías y más de 3.000 anuncios y vídeos musicales. De entre estos últimos, quizá el más memorable

Julie Christie, actriz
De padres británicos, Julie Christie nació en India en 1941. Debutó en el cine con *Ladrones anónimos* en 1963 y solo tres años después recibió el Oscar a la mejor actriz por su papel en *Darling*, película que definió una época. Continuó con una serie de aclamadas interpretaciones en películas como *Doctor Zhivago*, *Lejos del mundanal ruido* y *Shampoo*. Christie obtuvo su tercera nominación a la preciada estatuilla en 1998 por *Afterglow*. En la actualidad continúa trabajando pero ha cambiado el glamour de Hollywood por la campiña galesa. Donovan realizó este retrato de la actriz en 1962.

sea el de la canción «Addicted To Love» de Robert Palmer, en el que situó en el fondo a mujeres altas y hermosas que tocaban la guitarra. «Hice algo extraño, ¡lo sé! Parecía una cosa bastante pasada de moda.»

Sus sesiones siempre fueron informales y relajadas, y con sus anécdotas y chistes conseguía que todo el mundo estuviera a gusto. Siempre se aseguraba de que todos disfrutasen tanto como él. De vez en cuando reservaba unos momentos de su apretada agenda para charlar con fotógrafos aficionados en los clubes fotográficos londinenses. En cierta ocasión tuvo la oportunidad de charlar con alumnos de la Manchester Polytechnic, a los que dedicó este útil consejo: «No trabajéis para un jefe. Encontrad algo que queráis hacer y conseguid que alguien os pague por ello».

Durante muchos años, Donovan se centró en los anuncios y videoclips, lo cual le reportó un gran éxito y mucho dinero. Pese a que era un distinguido retratista, quienes lo conocían se reían cuando alzaba un fajo de billetes y decía: «Estos son los únicos retratos que me interesan».

Hasta la década de 1990 no decidió retomar la fotografía, y al hacerlo descubrió que los editores artísticos de las revistas eran demasiado jóvenes. «Nunca han oído hablar de mí», solía decir, «¡ni de los Beatles!». Así que volvió a tomar fotografías para otros. Pese a que siempre había insistido en que era un artesano y no un artista, durante esa época trató de convertirse en artista por satisfacción personal. Su viuda, Diana, recuerda que en cierta ocasión vendió una de sus obras. No estaban en venta, pero a un amigo le gustó aquella y llegaron a un acuerdo. Diana recuerda que jamás había visto a Donovan tan contento de haber ganado dinero.

Donovan falleció en 1996 dejando un mundo que aún lamenta la pérdida de su gran talento. Poco después de su muerte, Diana y el archivero Robin Muir —ex editor fotográfico de *Vogue*— trabajaron sin descanso en una retrospectiva de su obra que viajó por todo el mundo, además de en un libro con sus fotografías. Pese a que en vida Donovan apenas expuso, Diana y Muir, el comisario de la exposición, consideraron importante que todo el que tuviera interés pudiera contemplar su obra y así el mundo experimentase la genialidad fotográfica de Donovan.

Margaret Thatcher, política
La imponente primera ministra británica y líder del Partido Conservador.

Príncipes de Gales
Charles y Diana en 1988. La pareja se casó en julio de 1981 y se divorció en 1996, poco tiempo después del decimoquinto aniversario de la boda. Diana murió trágicamente en un accidente de coche en París, en agosto de 1997.

Claudia Schiffer
Desde que fuera descubierta en la década de 1980, la supermodelo alemana ha aparecido en cientos de portadas de revistas y es una de las modelos de más éxito en el mundo.

Sophia Loren
Sophia Loren ha sido una de las grandes bellezas del siglo xx. Donovan estaba prendado de ella, y la actriz posó para él en dos ocasiones, en 1963 y en 1965.

Tony Duran

Mientras estudiaba publicidad en la Universidad de Minnesota, Tony Duran realizó un curso obligatorio de fotografía durante el último año como parte de su especialización. A pesar de que ya era un fotógrafo conocido, «fui el único que no sacó un diez», confiesa con una sonrisa ante lo irónico del hecho. «Creo que el profesor me odiaba porque hacía demasiadas preguntas.» En aquella época, tenía un amigo en clase que no disponía de tiempo para hacer los trabajos y Duran los hacía por él. «En todos los trabajos que presentaba con su nombre sacaba un diez, pero no con los míos. ¡Ahora el profesor da charlas sobre mí en sus clases!»

Su primera incursión en el mundo del retrato tuvo lugar mientras aún era estudiante. Un compañero que estaba sentado a su lado vio su hoja de contactos y le habló de una amiga que trataba de abrirse camino como modelo. ¿Le importaría fotografiarla? Duran no lo dudó. Reclutó a su hermana como ayudante para montar un estudio en la universidad y, utilizando solo los focos que había por allí, iluminó a la modelo y obtuvo unos retratos que la ayudaron a conseguir un contrato con una gran agencia de Nueva York. Hasta el día de hoy, Duran continúa usando los medios disponibles en el momento de realizar la sesión. «Me gusta ir rápido para no perder la energía de la persona que fotografío.»

Tras acabar la universidad, un amigo de confianza le propuso mudarse a Nueva York. «Yo tenía unos cientos de dólares y dije: "Genial, hagámoslo". Cogí un avión y me mudé a Nueva York sin tener la menor idea de nada. En cuanto llegué me atropelló un autobús y hube de volver a casa. Estuve en cama unos seis meses, luego hice las maletas y me fui a Milán porque mi amigo me lo sugirió.» Posteriormente Duran siguió a su amigo a Grecia y a Australia, y durante ese tiempo se mantuvo gracias a la fotografía. «No tengo ni idea de por qué lo hice. No sabía gran cosa de fotografía, así que no sé cómo lo conseguí.»

Pero salió adelante y desde entonces no ha trabajado en nada más. «Observaba a otros que decían que querían ser artistas o pintores y hacían de camareros por las noches o de dependientes. Acababan trabajando muy duro solo para pagar el alquiler con los sueldos miserables que cobraban. Estaban demasiado cansados para hacer lo que realmente querían. Me prometí que a mí no me pasaría lo mismo.»

El trabajo en Australia lo llevó de vuelta a Estados Unidos. «Mi agente de Australia, que estaba haciendo moda, solía preguntarme si era consciente de que lo que mejor se me daba eran los retratos. Debo admitir que yo opinaba eso mismo desde hacía años.» Así que Duran hizo las maletas y se mudó de nuevo a Nueva York. Una vez instalado en «la saturación sensorial de cada noche» —así es como Tony Duran describe Nueva York—, llegó un punto que no lo soportó más y se mudó a Los Ángeles, donde se ha creado un refugio tranquilo. «Creo que de haberme quedado en Nueva York no habría alcanzado ni la mitad de mis logros.»

Desde que compró su primera cámara, solo ha utilizado una Pentax 67. «Tampoco he cambiado de película. ¡No sabría cargar ni utilizar otra cámara!», comenta. «Empiezo a juguetear ahora con la fotografía digital. Para mí tiene sentido porque de todas formas tiendo a disparar de más. Pero el procesado de la película me cautiva. El problema que veo a la fotografía digital es que ciertas imágenes están tan retocadas y resultan tan artificiosas que al final la persona pierde autenticidad: las fotos pierden la crudeza y el componente tangible por exceso de perfección. Parece estúpido, pero la parte divertida consiste en recibir los contactos. Cuando me llega un paquete del laboratorio es como un regalo, y revisarlos es divertido.»

Las fotografías de Duran contienen un elemento tosco que atribuye a su capacidad para despertar la confianza del modelo y conectar con él. «Los tonos de la piel siempre resultan evidentes, y la gente suele tener brillos. No todo está retocado o maquillado.» Duran es capaz de extraer la cruda sexualidad de sus modelos. «Mis fotos no resultan sexys en plan revista *FHM*, sino que destilan más bien una sensualidad intemporal, eterna. Me gustaría verlas dentro de varios años y poder decir que siguen siendo sexys, que han superado la prueba del tiempo.»

Beyoncé, cantante y actriz
«Estábamos trabajando en la casa de Barbra Streisand y había muchas localizaciones que quería usar, pero no teníamos tiempo. De hecho, dispusimos de 45 minutos para toda la sesión. Finalmente encontramos este pequeño espacio, pero cuando estuve listo para disparar había tanta gente amontonada detrás de mí que apenas podía moverme: la gente de Beyoncé, la gente de esa gente y la gente que trabajaba para la gente que trabajaba para ella. Había treinta personas en la habitación haciendo ruido y sin prestar atención. Disparé usando la lente más pequeña de todas y acabé con la foto en cuestión de minutos. Ella ni siquiera me oía con tanto alboroto. Parece uno de esos grandes montajes con iluminación muy cuidada, pero fue fruto del momento; una foto de dos segundos.»

Brad Pitt, actor
«En la etiqueta se lee "20 % de descuento". Se suponía que la foto sería portada de la revista *Flaunt* después del 11 de Septiembre, y no es que tratásemos de quitar hierro al asunto, pero sí pretendíamos hablar desde el mundo de la moda, ya que *Flaunt* es una revista de moda. En la portada iba la frase: "Los tiempos son duros", y en el interior de portada: "Todos tenemos un precio". En aquella época todo el mundo comentaba que Brad ganaba veinte millones de dólares por película, así que la etiqueta era una alusión directa a ello. Fue nuestra primera sesión juntos; es un tipo muy agradable, relajado y de trato fácil.

Jennifer Lopez, actriz y cantante
«Esta foto fue tomada entre sesiones. En todo el mundo solo hay dos o tres fotos de su culo hechas desde detrás, y yo tengo dos de ellas. Visto que todos hablan de su culo sin parar, resultó bastante interesante. Cruzábamos la casa para que se cambiase de ropa y me dijo: "Quieres comprarte una casa, ¿verdad?", le contesté que sí y respondió: "Vale, ¡vamos a comprarte una casa!". Entonces se desnudó de cintura para arriba y me concedió dos o tres minutos para que sacase esta foto. Durante los dos o tres últimos años la he vendido tan bien que realmente me ayudó a comprar la casa. La iluminación es natural con un leve rebote con algo de plata.»

Tom Cruise, actor
«Está sentado en el banco del plató de *Las chicas Gilmore* a medianoche. Resultó que en aquel estudio había nieve y era el único en el que se veía algo a esas horas porque no había luces. Como no podía salir a buscar otras localizaciones, escogí la que tenía una iluminación brillante. Disponía de quince minutos para dispararle tal cual, y Tom apareció en un carrito de golf y se presentó. Le puse mi chaqueta y le dije: "¡Siéntate en ese banco, vamos muévete!".»

Duran desarrolló una perspectiva interesante sobre su trabajo tras la muerte de su mentor más respetado, Helmut Newton. «Me encontraba desayunando en Chateau Marmont, en Sunset Boulevard, y estaba hablando con alguien sobre Newton, explicando que había vivido en Australia durante mucho tiempo y, como nadie quería trabajar con él, continuó haciendo su trabajo y vendiendo sexo sin problemas. ¡Y de repente su coche chocó contra una pared a diez metros de donde estábamos sentados!» Duran regresó a casa y se centró en encontrar proyectos que le interesasen. «Me gustaría ser de esas personas cuyas fotos siguen viéndose pasados veinte años.»

Entre otros fotógrafos a los que admira destaca Herb Ritts. «Podía pasar de la publicidad a la moda y de ahí a las celebridades y conservar la misma imagen en todos los campos.» Michael Jansen también le ha inspirado.

Duran es muy imaginativo cuando prepara localizaciones y entornos interesantes, y siempre se asegura de tener en cuenta la personalidad del fotografiado. Preparó no hace mucho una sesión con Tom Cruise para la que construyó un circuito de obstáculos, cada centímetro del cual estaba iluminado. «De ese modo nadie pudo acercarse a él mientras disparábamos, y lo hicimos durante 75 minutos seguidos... ¡Gasté cientos de rollos de película! A Tom puedo gritarle órdenes y dirigirlo, porque siempre responde bien ante eso.»

Sobre las vueltas que han dado tanto su carrera como su vida, considera que su mayor logro es «haber pasado por todo ello. Puedes ser un perdedor, y al minuto siguiente todo el mundo te adora y te coloca en un pedestal, y un minuto después, te lo quitan todo».

Andrew Eccles

Aunque parezca extraño, a Andrew Eccles le asustaba fotografiar a personas de jovencito. «Cuando estudiaba en la escuela de arte prefería los paisajes y los bodegones», dice. Su primera fotografía importante la realizó durante esa época. «Me contrataron para encargarme de la fotografía de una película no demasiado importante en Toronto, con Vincent Price en el papel protagonista. El director me dijo que usase su Hasselblad. Yo solo la había utilizado una vez. A las tres de la mañana alguien gritó: "¡Foto fija!". Aterrorizado, me subí a un pequeño taburete y traté de fotografiar al señor Price pero, por más que apretaba el disparador, la cámara no hacía la foto. Finalmente el señor Price se acercó, cogió la cámara y quitó la tapa. No pudo ser más amable. Dos semanas después la foto acabó en la portada de la revista *Cinema Canada*, y así comenzó la carrera de Andrew en el mundo del retrato.

Cuando empezó a trabajar de ayudante de Annie Leibovitz en Nueva York supo que quería ser retratista. Fue ayudante de Leibovitz durante tres años y luego trabajó con Stephen Meisel y Robert Mapplethorpe. Considera que su época como ayudante fue la que lo formó, pues aprendió a trabajar con gente y con famosos, así como a enfrentarse a los extraordinarios retos del retrato.

«No estaría donde estoy sin la experiencia de ayudar a Annie Leibovitz. Me sorprende que década tras década ella continúe realizando los retratos más importantes del mundo.»

Cuando Eccles era más joven le influyó el trabajo de Irving Penn y de Arnold Newman. «Últimamente me gusta el trabajo de Dan Winters. Creo que Nigel Parry retrata en blanco y negro mejor que nadie, y siempre me impresiona lo brillante que resulta Mark Selinger.»

Eccles se estableció en Nueva York como fotógrafo profesional en 1987. Sus imágenes han aparecido en las portadas de cientos de revistas, entre las que se incluyen *Time, Life, Rolling Stone, The New York Times Magazine, Newsweek, ESPN* y *Texas Monthly*. También ha realizado trabajos publicitarios para MGM, 20th Century Fox, Miramax, New Line Cinema, ABC, Sony Music, Atlantic Records y Warner Bros.

Una de sus primeras sesiones, con el famoso director artístico japonés Eiko Ishioka, le enseñó algo de sí mismo que desde entonces le ha sido muy útil en su carrera. «Teníamos modelos sobre plataformas de plexiglás en una piscina y un fondo colgante en la parte más honda, y había más electricidad alrededor de lo que habría sido prudente en semejante entorno. Tras horas de preparación, finalmente saqué la primera polaroid. Eiko la miró y sentenció: "¡La foto de Andrew muy seguridad!". Nunca he olvidado esa frase y aún me acecha casi veinte años después. Creo que mis fotos resultan demasiado seguras. Últimamente estoy arriesgando más, pero debo esforzarme por llevar más allá mis conceptos, la iluminación y, especialmente, lo que exijo a mis modelos.»

En 1998 la revista *American Photo* incluyó a Eccles en su lista de las cien personas más importantes del mundo de la fotografía. Al respecto, comenta: «Al final no significó nada ¡pero me encantó!». Y en relación a su carrera, opina: «Me pagan por lo que sin lugar a dudas estaría haciendo gratis en mi tiempo libre, y he tenido la suerte de haber conocido a más gente en dos décadas de la que muchos podrían conocer a lo largo de dos vidas enteras».

A Eccles aún le fascina el trabajo y el amplio abanico de personas con el que tiene el privilegio de tratar. «He

Michelle Branch, cantautora
«Este retrato me excita, ¡pero no por lo que puedas pensar! Creo que la iluminación está muy bien. Sabía que añadirían el fuego en posproducción, así que debía crear la sensación de que estaba iluminada desde detrás por las llamas. He probado muchísimas clases diferentes de gel para colocar sobre las luces y al final he dado con una combinación que parece luz de llamas. La otra razón por la que me gusta esta foto es que la actitud de Michelle ilustra su éxito "Are You Happy Now?". El resto de las estrellas del pop se han apoyado primero en su sexualidad y después en su talento para alcanzar el éxito. Michelle es una gran cantautora que ha decidido jugar a ser sexy después. Creo que se ha ganado una posición de poder que le permite quitarse la ropa cuando le dé la gana.»

Steve Martin, actor
«Esta foto forma parte de una serie de cuatro fotografías que hice a Steve para *Esquire* en 1994. El artículo se titulaba "Tipo solitario" y trataba sobre la vida de Steve después de su divorcio. Hablé con él al menos en tres ocasiones por teléfono antes de la sesión para asegurarme de que le parecía bien el concepto. La idea original consistía en situar a Steve en Central Park alimentando a las palomas con un pingüino entre ellas. Cuando investigué la posibilidad de que el zoo nos dejase un pingüino para la localización me dijeron: "No puedes sacar a un pingüino de su entorno, pero puedes meter a Steve en él". Nos dieron quince minutos. Teníamos que llevar botas de goma hasta las rodillas por los picotazos. El olor era nauseabundo y hacía un frío polar. No tuve tiempo de hacer polaroids, así que usé un estrobo rebotado en el techo, recé y confié en que la sesión saliera bien. Disparé con el negativo VHC, ahora imposible de encontrar, y procesé con cromo. Es una de mis fotografías favoritas.»

Andrew Eccles

James «Son» Thomas, músico y escultor
«Estaba en Leland, Mississippi, realizando un encargo para un artículo titulado "Artistas marginales" de la revista *Art and Antiques*. A James, un artista autodidacta brillante, un músico de blues medianamente conocido, lo estaban explotando tanto el mundo del arte como la industria musical. Como al resto de los protagonistas del reportaje, le estaban comprando la obra de su vida por casi nada para revenderla a precios astronómicos. Eran famosos entre el público de las galerías de arte en Nueva York y ni siquiera lo sabían. Traté de explicar a Son que su trabajo se vendía por mucho dinero en el norte del país y le dije que no debía permitir que los intermediarios le cedieran una cantidad tan pequeña de los beneficios. Me contestó que se gastaba cincuenta dólares en gasolina al mes y que si eso era lo que le ofrecían, no iba a negarse. Pese al entorno humilde y las circunstancias precarias en que vivía, resultaba tan elegante y sofisticado como cualquier otra persona a la que haya fotografiado. Iluminé esta foto con un flash y un cono improvisado con cartón.»

Janet Reno, ex secretaria del Departamento de Justicia de Estados Unidos
«Algunos retratos resultan geniales y no siempre ocurre de manera intencionada. Es el caso de este retrato de Janet Reno. Se trataba de un encargo para *The New York Sunday Times Magazine* y me concedieron media hora en su despacho del Departamento de Justicia. Aquel entorno no dejaba lugar a la inspiración, pero encontré una pequeña habitación, más bien un vestíbulo circular de madera con seis puertas cerradas. Sobre las puertas había una cita, que ya no recuerdo, grabada en los paneles. Las palabras "la justicia es" me llamaron la atención, así que cuando llegó la señora Reno le pedí que se situase debajo. Cuando recibí los revelados me horroricé. ¡Había parpadeado y salía con los ojos cerrados en todas las fotos! Tardé un momento en percatarme de mi afortunada desgracia.»

Pete Townsend, músico
«Una vez superado el miedo inicial de trabajar con una de las grandes leyendas de la música, me dediqué a fotografiar a Pete tal y como me había pedido. Había grabado una nueva ópera rock titulada *Psychoderelict* y quería profundizar en la inseguridad que le producía envejecer. Sacamos unas fotografías extremadamente honestas y, aunque Pete me llamó para decirme lo buenas que le habían parecido, me confesó que no tenía valor para usarlas en la portada del CD. Acabó difuminando una imagen en el ordenador hasta dejarla prácticamente irreconocible. Hoy, después de todo lo que ha tenido que pasar Pete desde entonces, la fotografía resulta todavía más conmovedora.»

Robin Williams, actor y humorista
«En 1999 *The New York Sunday Times Magazine* organizó un concurso mundial para crear una cápsula del tiempo que sería enterrada en el año 2000 y no se desenterraría hasta el 3000. A fin de ayudar a ilustrar el concepto seleccionaron a Robin Williams para la portada. Llenamos un estudio fotográfico con objetos destinados a ser incluidos en la cápsula y se los dimos a Robin para que jugase con ellos. Algunos de los objetos eran artículos cotidianos, como esta chancleta. Casi deseé que alguien hubiese grabado la sesión en vídeo. Robin debía ilustrar la imagen de un hombre en el año 3000 abriendo la cápsula y reaccionando ante el contenido de la misma. A veces me resultaba imposible enfocar debido a la risa. Por escandalosas que resultaran la mayoría de las fotos, al final me gustó más el humor comedido de esta. Aquel día me sentí como uno de esos anuncios de MasterCard: "Cámara 2.000 dólares, carrete de película 25 dólares, ver a Robin Williams actuando durante dos horas... ¡no tiene precio!".»

trabajado con atletas a los que idolatraba de joven, músicos que me influyeron en mis años de instituto, actores y actrices que me han hecho reír y llorar. He estado en la Casa Blanca en dos ocasiones para fotografiar a dos presidentes. ¡Fotografío a supermodelos! He estado en Hawai, Alaska, China y África realizando encargos. Lo que hago tiene muchos aspectos agradables.»

Uno de los motivos por los que no para de trabajar es su habilidad para hacer más fácil la extraña y a menudo incómoda experiencia que supone ser fotografiado. «Estar delante de la cámara asusta, y el fotografiado nunca debe sentirse solo.» Gracias a esta capacidad, combinada con su elegancia y habilidad para iluminar, Eccles consigue que sus modelos parezcan cómodos, cercanos y atractivos.

Le encanta el retrato. «Probablemente sea la relación más íntima que pueda establecerse con alguien sin tocarlo, y puede resultar tan terrorífico como una primera cita. Pero hay momentos mágicos en los que todo encaja durante una fracción de segundo, cuando el sujeto, la luz y la composición son mejores de lo que habrías imaginado. Puede ocurrir por casualidad, pero resulta más gratificante cuando se logra intencionadamente», comenta. «Estoy feliz cuando logro una fotografía tan hermosa, poderosa, ingeniosa o divertida que lleva a alguien a sentir algo que no había experimentado antes de haberla visto. También cuando, simplemente, enmarco una foto, la cuelgo en la pared, me alejo unos pasos y me digo: "Sí, esta es buena".»

Cuando Eccles preguntó a Pete Townsend por qué lo había escogido a él para realizar la portada de su disco, Townsend le contestó: «La compañía no hacía más que mostrarme libros y yo no hacía más que revisar el tuyo, era el único sincero». Eccles, pese a sentirse halagado, no está seguro de que la apreciación sea exacta, pero comenta: «No uso la fotografía para ocultar la verdad como hacen otros. Creo que mis mejores imágenes resultan bastante memorables. Tiendo a que las composiciones queden libres de obstáculos visuales para que al observador le sea más fácil concentrarse en el sujeto».

Hay muchos actores a quienes querría retratar, pero lo que más le gusta es el trabajo personal. «Antes hacía retratos en el Sur profundo, cubrí el vertido de petróleo del *Exxon Valdez* frente a la costa de Alaska y fotografié a artistas marginales explotados por los propietarios de las galerías de arte. Cuando no estoy fotografiando a los ricos y famosos, me atraen los que luchan, con la inocente esperanza de que las imágenes puedan desencadenar algún cambio positivo para ellos.»

Kim Cattrall, actriz
«A Kim le habían inspirado unas fotos de Brigitte Bardot que había visto y se preguntaba si yo podría fotografiarla de forma similar. Me pareció que su conexión con Bardot resultaba perspicaz, especialmente por su interpretación de la igualmente liberada Samantha en la serie de televisión *Sexo en Nueva York*. Técnicamente, creo que da la sensación de que las fotografías podrían datar de hace tres o cuatro décadas, pero lo que más me gusta es la expresividad y la conexión que establece la mirada de Kim. Algunas de las fotos más sensuales que he hecho no tienen nada que ver con cuánta piel muestran, deben más a la mirada del fotografiado.»

Andrew Eccles

Larry Fink

Larry Fink se ha dedicado a la fotografía durante más de cuatro décadas y recuerda con cariño su primera foto. «Tenía trece años y fotografié unos narcisos que había en el jardín de mis padres. Revelé las fotos con un amigo y compañero de afición que vivía al otro lado de la calle. Mi madre las comparó con Durero, el pintor y grabador del siglo XV. Recuerdo que la foto era bastante mala; evidentemente, no estaba a la altura de Durero, pero mi madre me quería y deseaba lo mejor para mí, así que no pudo evitar fantasear.»

Fink se ha convertido en lo que su madre predijo, un excelente fotógrafo cuya carrera abarca varias décadas, todos los medios y el mundo entero. Actualmente es catedrático titular de fotografía en el Bard College de Nueva York, tiene expuestas más de sesenta copias en la colección permanente del Museo de Arte Moderno de Nueva York, ha recibido dos becas Guggenheim, dos becas National Endowment for the Arts y ha expuesto una retrospectiva de su carrera en varios museos europeos.

Aparte de estos grandes logros, Fink tiene un contrato con Condé Nast y trabaja para *Vanity Fair, The New Yorker, GQ* y *The New York Times Magazine*. Entre su cartera de clientes de publicidad figuran Cunard, Chivas Regal, Smirnoff, Godiva, Nike y MasterCard.

A Fink le encantan las preguntas, tanto hacerlas como contestarlas. «¿Qué es un retrato?», se pregunta. «Alguien acude a un estudio o un fotógrafo visita el hogar de alguien para realizar un retrato, para retratar. ¿Qué significa retratar? ¿Hace alusión al contexto o a la interiorización de un alma en sus factores externos? ¿Qué es un retrato? La pregunta tan solo genera otra pregunta. Yo no soy un fotógrafo de retratos, soy un fotógrafo que busca retratar a la gente y extraer su esencia.»

Fink se toma su trabajo con diversión y no le concede demasiada importancia, al tiempo que se muestra conmovedor y perspicaz. «Me gusta lo que hago porque soy un animal, y a todos los animales, por complejos que podamos resultar en el plano abstracto, nos gusta olisquearnos los unos a los otros. Así que un gato o una serpiente hacen retratos al oler, tocar o intuir, pero nosotros, que somos más complejos, tratamos de encontrar el alma del otro y transformarla en materia.»

Esta combinación entre lo profundamente filosófico y lo analítico le ha reportado gran parte de su éxito y, pese a que considera que la volubilidad es un escollo en su vida personal, comenta: «La inconstancia no tiene por qué resultar negativa para un fotógrafo. Si, de hecho, uno se enamora de todo lo que percibe, ve o experimenta, entonces puede rastrear gestos formativos y extraer de ellos una buena fotografía».

Le encanta fotografiar a gente de igual energía emocional y complejidad que él. «Me atrae la gente que coloca un imán en mi mente y en mi corazón y tira de mí con la misma fuerza con que yo tiraría de ellos. Esa gente no tiene por qué

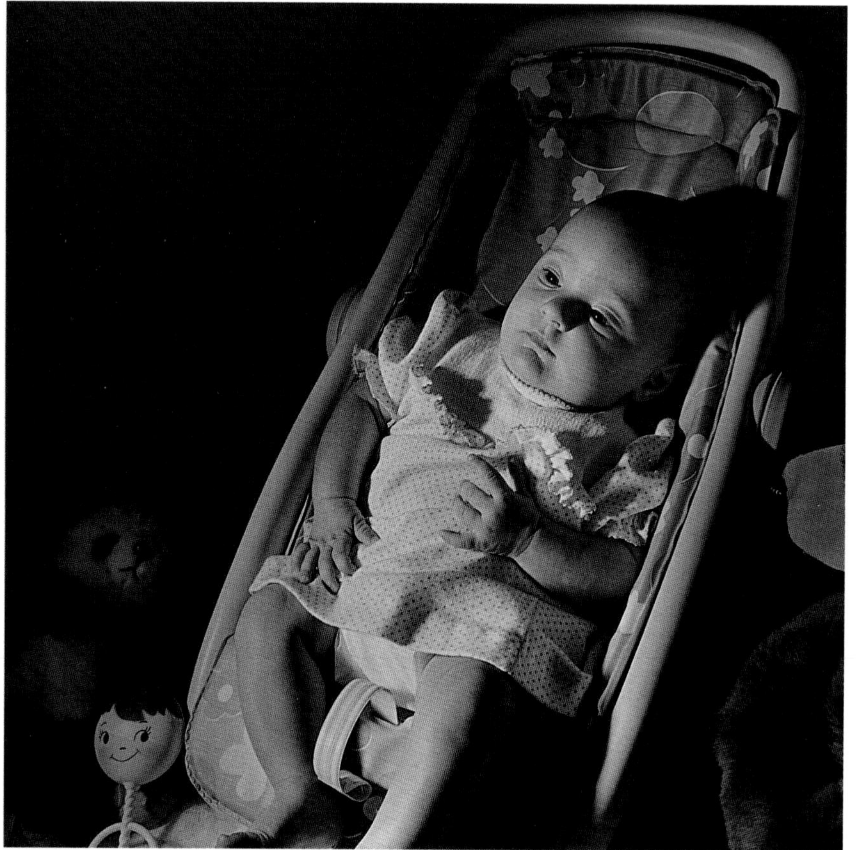

Molly
A los tres meses de edad, agosto de 1979.

Norman Caplan y Molly Fink
(p. der.)
Hardinsburg, Kentucky, octubre de 2001.

Larry Fink

Sylvia Kleinman y Maggie Kuehn
Gray Panthers, abril de 1991.

Autorretrato con Molly
Octubre de 1982.

ser famosa ni alguien conocido en el mundo intelectual o social. Podrían ser granjeros que, dada la manifestación de su energía, su alma y la educación recibida, viven con una actitud y un espíritu capaz de transformar.»

Cuando Fink habla sobre su trabajo sabe que es conocido por sus imágenes extremadamente emotivas y dramáticas. «El estilo de las fotografías por las que se me reconoce se caracteriza por una especie de máscara, un centelleo, mucho drama y demás. Las fotografías incluidas en estas páginas son más familiares, pero muestran las mismas tendencias dramáticas.»

«Está relacionado con el estilo y este, por supuesto, deriva de una necesidad. Si el estilo se desarrolla por y para el estilo se convierte en una mirada acomodaticia, algo en lo que se puede confiar, pero no muestra nada. Afortunadamente, estas fotografías y las fotografías que hago por el mundo están imbuidas de estilo; no porque sea un tipo "estilizado", sino porque tengo la profunda y clara necesidad de transferir lo que sea que experimente ante mí, de forma física, a la imagen impresa para que de un modo u otro genere la misma, o al menos similar, forma de resonancia tanto en el plano físico como en el espiritual. Confío en que mis fotografías vivan.»

Fink admira el trabajo de muchos fotógrafos jóvenes. «Por ejemplo, Mitch Epstein, y admiro a Steven Shore, un colega de Bard College. Por supuesto admiro a Robert Frank, por su alma romántica y pesimista y su increíble capacidad para hacer que resulte auténtica en los parámetros de una fotografía.»

A Fink le gusta el trabajo muchos otros, desde su primera profesora, Lisette Model, hasta Henri Cartier-Bresson, pasando por Brassai. Nacido en 1941, fue un beatnik de segunda generación, justo en la cúspide de la revolución social de los años sesenta. «Nací en el momento adecuado. No me quedó más remedio que hacer lo que hice; en mi caso se trató de una obsesión desde el principio.» Se cuestiona qué le habría sucedido de no haber recibido la llamada de la fotografía con tanta fuerza. «Quizá me habría convertido en criminal», supone. «No iba por el buen camino. De joven robaba coches, me expulsaron de la escuela y consumía drogas; puede decirse que me comportaba de manera antisocial hasta niveles extremos. También era buen chico, amable y listo, pero me aburría. O quizá habría sido médico, porque las soluciones y las conclusiones resultan profundamente humanas, no necesariamente simples en el aspecto técnico, sino en cuanto a su significado. Pero entonces, también podría haberme hecho conductor de tractores. Existen infinidad de variables, pero soy fotógrafo y profesor.»

Cuando se le pregunta acerca de su mayor logro, Fink responde: «El mayor logro consiste en estar vivo y compartir lo que sea que tengo en mi interior con los demás, y en ser capaz de transmitir a mis alumnos, y a quien sea, la sensación de tener una misión, claridad y bondad, y mantenerme firme en ese sentido.» Fink considera que cada sujeto posee su propia cualidad y no hay sujetos mejores o peores. «Es otra criatura por la que te interesas durante un momento, una hora, una semana o un año, y tratas de servir a su humanidad y su misterio.»

Patrick Fraser

Criado en Norwich, Inglaterra, Patrick Fraser se graduó en bellas artes por la Oxford Brooks University en 1995. Cuando Patrick era niño, su padre solía dejarle su cámara Yashica durante las vacaciones familiares en Francia. En algún momento Patrick se dio cuenta de que no salía en ninguna de las fotografías porque se había convertido en el fotógrafo, de modo que cuando cumplió catorce años su padre le compró su propia Pentax SLR. «Aquella cámara no tenía fotómetro, así que me limitaba a adivinar el tiempo de exposición, supongo que es la mejor manera de aprender... mirando.»

Su asignatura principal en bellas artes era pintura, pero tras un viaje a la India durante el verano de su primer año en Oxford, regresó bastante animado con el potencial de la fotografía. «Volví con muchos retratos intensos de los hombres y las mujeres que había conocido. En aquel viaje usé principalmente película en blanco y negro.» Descubrió que realmente le gustaba hacer fotos a la gente, a toda clase de gente.

Fraser no tardó en entrar en el mundo del retrato profesional, si bien es cierto que de manera extraordinaria. «Un amigo me comentó que Rankin necesitaba otro par de manos y conseguí trabajo en unas sesiones en la trastienda del taller. Un día estaba pintando las paredes del baño cuando se me ocurrió que quizá debía comenzar a hacer fotos, preparar un *book* y contratar a otra persona para que pintase el lavabo.» Durante cuatro años trabajó como asistente y, como muchos fotógrafos principiantes, lo encontró extraordinariamente beneficioso. «Se puede aprender muchísimo como ayudante, son prácticas gratuitas; de hecho, te pagan por aprender.»

Cuando tenía veintiséis años y una beca del Ashmolean Museum de Oxford, Fraser se enroló en una expedición

Robert Evans, productor, autor y realizador cinematográfico
«Me gusta el tenis, y había leído que a Evans le apasionaba. Aparecí en su casa en una camioneta porque el coche se averió de camino a la sesión. Evans ya estaba maquillado y sentado junto a la piscina en su infame mansión. Nos pusimos a charlar sobre tenis y conectamos inmediatamente. Evans contaba largas anécdotas sobre la época en que Connors jugaba en su pista junto a la sala de proyección. Entonces decidí hacer la foto en la pista de tenis y le gustó mucho la idea.»

Mamiya RZ, lente de 65 mm.

Maya Angelou, escritora
«Dispuse de poco tiempo en una habitación de hotel de Santa Mónica durante la gira promocional del último libro de Maya Angelou. Me llamaron de *Weekend* en Londres el mismo día por la mañana y a mediodía tenía la foto de portada. Recuerdo que Angelou era extremadamente formal y educada, y es la única persona que me ha llamado míster Fraser durante una sesión.»

Mamiya RZ 6x7 cm, lente de 140 mm.

Christopher Walken, actor
«No sabía qué esperar de la sesión con Walken. Me habían contado que no hacía mucha promoción y que se trataba de una ocasión excepcional. La sesión era para un artículo relacionado con la película de Spielberg *Atrápame si puedes*. Resultó que Walken estaba en pleno rodaje en Brasil y solo se quedaría en Los Ángeles unos días. Me dio la sensación de que estaba metido en el papel y tenía la mente centrada en su trabajo. Me pidió que contase hasta tres, echó un vistazo y disparé, así es como quiso que se hiciese.»

Mamiya RZ 6x7 cm, lentes de 110 mm.

Penny, ranchera de Wyoming
«Volé hasta Gillette, Wyoming, para ilustrar un artículo sobre las prospecciones de metano en Wyoming. Tenía que ponerme en contacto con cinco rancheros que viviesen en la zona en tres días. Recuerdo que las distancias por carretera eran enormes y cuando monté el equipo soplaba un viento fortísimo que tambaleó el foco varias veces mientras disparaba. La revista quería retratos individuales de cada ranchero. Penny tiene un gran rostro y para mí representa al esforzado trabajador estadounidense.»

Mamiya RZ, 6x7 cm, lentes de 65 mm.

fotográfica de nueve meses por la antigua Ruta de la Seda, pasando por China, Pakistán, India, Irán y Turquía, junto a su amigo Will. Una experiencia que considera un gran triunfo y un magnífico logro.

Posteriormente, los grandes espacios abiertos del paisaje estadounidense junto a sus intersecciones de autopistas, hamburguesas de queso y actitudes positivas lo llevaron a Venice Beach, en Los Ángeles, donde reside actualmente. «Me gusta responder ante lo que tengo delante. Me da igual que sea el conserje o Christopher Walken. Además, el contraste entre lo hecho por el hombre y el producto de la naturaleza me interesa. Siempre he sido curioso. Me mueve tanto una intersección de autopista en Los Ángeles como las grandes llanuras que se extienden a los pies del monte Ararat en el este de Turquía.»

Su mezcla entre habilidad, curiosidad, humor y respeto le han reportado una reputación de retratista cuyas fotos resultan «clásicas con una vuelta de tuerca». A Fraser suelen requerirlo por su estilo publicaciones como *Rolling Stone* e *Interview*, aparte de clientes del mundo de la moda y celebridades.

Hay muchas facetas de su trabajo que le gustan, pero principalmente le atrae «la idea de comenzar un día de trabajo con un lienzo en blanco». Le encanta captar a tiempo un momento especial, y ha recopilado un montón de ideas en una libreta. «En mis fotos trato de capturar humor, espontaneidad y energía. En ocasiones debo extraer dichas cualidades del retratado, pero en cuanto asoman, hacen que las fotos brillen.» Una de las cualidades que Fraser más valora en cualquier sujeto es que posea una personalidad genuina que pueda captarse a través de la lente.

También le encanta experimentar. «Quizá mediante una iluminación diferente, un color o una localización que vi mientras conducía. Cuando observo mis imágenes en conjunto, por ejemplo en una página web, veo un nexo entre ellas. Pero, en definitiva, no dejan de ser momentos diferentes fotografiados por la misma persona.»

Entre los personajes estelares con los que ha trabajado para obtener un retrato único, se cuentan Morgan Freeman,

Patrick Fraser

Maya Angelou, Brian Wilson y Christoper Walken. Le encantaría fotografiar también a Al Pacino y a David Bowie, y dada la admiración que siente por los fotógrafos de Magnum, no sorprende que los nómadas mongoles figuren también en su lista.

Para simplificar Fraser solo lleva el equipo con el que sabe que hará bien el trabajo, que consiste en su RZ 6x7, su Rolleiflex y una Leica M6. Por lo que respecta al catálogo, le encanta combinar retratos, música y trabajos para moda. «La imagen que menos te esperas que gustará al cliente al final es la que le entusiasma y hace que te recuerde. Nunca se sabe. Muestro las que considero que son mis mejores creaciones. Quiero que las fotos hablen por sí mismas.»

Fraser es un tipo muy divertido, como refleja su sencillo consejo para los jóvenes fotógrafos que comiencen en el negocio: «Comprueba que no dispones de un fondo de fideicomiso del que no supieses nada. Si eres mujer, búscate un rico abogado con el que casarte, si eres hombre ¡haz lo mismo!». Pero anima a los que empiezan a que recuerden: «Eres tan bueno como tu último trabajo, y si tu trabajo es bueno, los clientes volverán a por más».

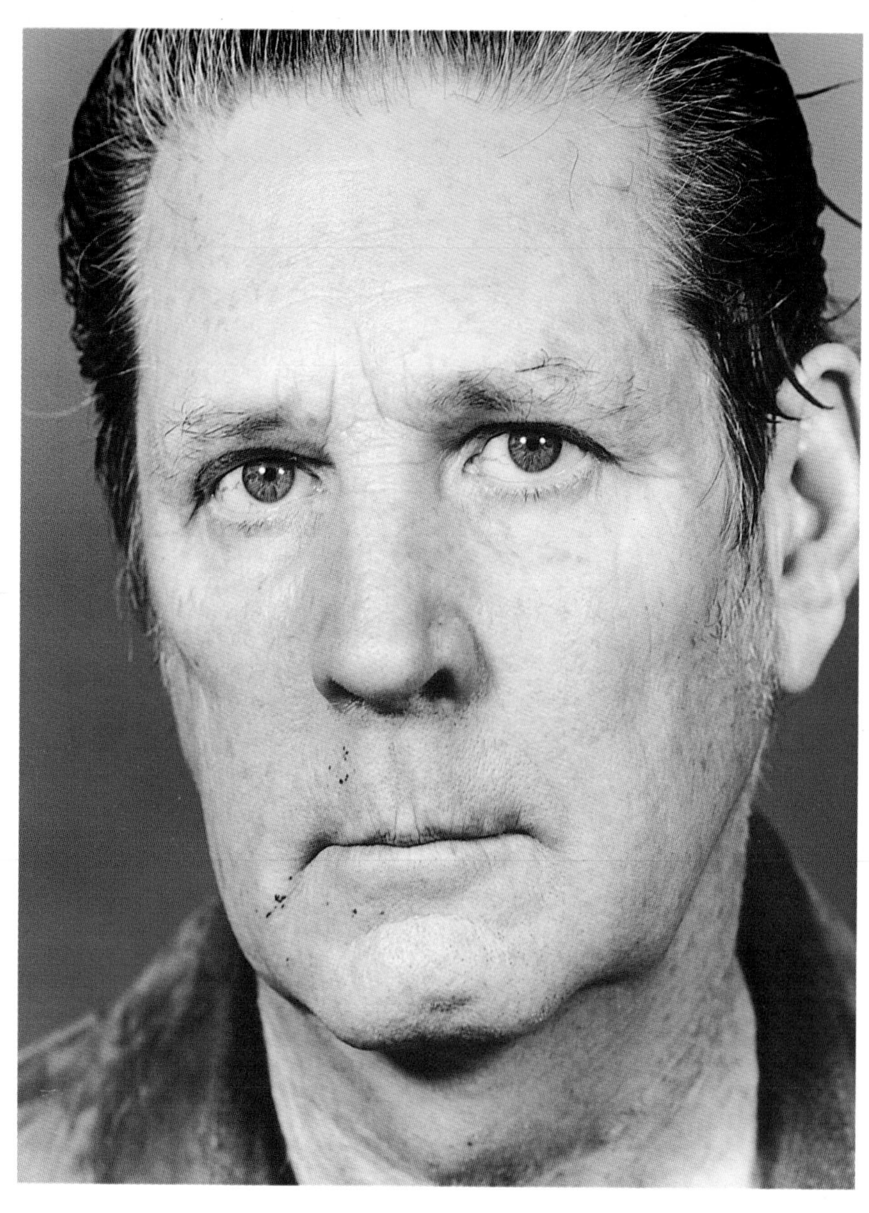

Brian Wilson, músico
«Esta foto fue la última de uno de tres montajes que preparamos en su casa de Bel Air. Recuerdo que había muchos caniches correteando por la casa mientras nos preparábamos. La experiencia más memorable de la sesión fue colocar la luz en la sala de música de Brian mientras tocaba versiones de los Beatles al piano. Yo quería un primer plano de su cara porque sabía que sus ojos contarían historias del pasado.»

Mamiya RZ 6x7 cm, lentes de 140 mm.

Turistas italianos
«Esta foto es fruto de un paseo por Venice Beach. Me fijé en ellos por casualidad y me llamó la atención que llevaran bañadores idénticos. Vi una imagen poderosa y les pregunté si podía sacarles una foto. Nos encontramos de nuevo media hora después y les dediqué un par de carretes. A juzgar por su reacción, creo que fue el momento memorable de sus vacaciones en Los Ángeles.»

Hasselblad 500CM, lente de 80 mm.

Morgan Freeman, actor
«Esta foto formaba parte de un artículo sobre Morgan para la revista *Venice* y la tomé en su rancho de Mississippi. Volé desde Los Ángeles y pasé el día en el rancho, que se encuentra muy alejado de todo. La mayor parte del tiempo estuvimos dando vueltas en su destartalada camioneta. Cuando me encontré con él apenas lo reconocí, estaba en el establo entre los caballos con una camisa de vaquero y unas botas. Era tal y como me esperaba, amable, interesante y curioso.»

Hasselblad 500CM, lente de 150 mm.

Greg Gorman

Gorman nació en 1949 en Kansas City, Missouri, Estados Unidos. Descubrió su vocación un día de 1968 que pidió prestada una cámara para asistir a un concierto de Jimi Hendrix. «Estaba sentado entre el público, colocado hasta las cejas, sacando fotos desde la tercera fila mientras Jimi actuaba sobre el escenario. Pero esas fotos hicieron que quisiese convertirme en fotógrafo. El proceso de captar imágenes y procesarlas yo mismo en el cuarto de revelado y realizar mis propias impresiones... era todo un misterio, y me fascinaba.»

Estudió fotoperiodismo y obtuvo un máster en cinematografía por la University of Southern California en 1972. Gorman ha publicado dos libros: *Greg Gorman Volume One*, de 1990, en el que mostraba sus habilidades como retratista extremadamente agudo y fotógrafo de desnudos con un ímpetu sorprendente y un gran sentido de la claridad; y *Greg Gorman Volume Two*, publicado en 1992 y centrado en desnudos.

Sus retratos de artistas son más reveladores de lo normal: «Su atractivo reside en la habilidad que tienen para desenmascarar la personalidad de la celebridad si que esta pierda un ápice de su halo mágico. Necesito la interacción del retrato y siempre he disfrutado conociendo a gente, metiéndome en la cabeza de cada persona». Además, escogió el retrato de personalidades en lugar de la fotografía de moda porque considera que en esta última se trabaja con gente demasiado maleable. «Las estrellas exigen más persuasión. Para retratarlas hay que tener más psicología a fin de penetrar en sus mentes y sacar de ellas lo que buscas.»

A Gorman le gusta la relación simbiótica en el retrato de personalidades aunque en ocasiones pueda resultar complicada. «Para mí, es una interrelación en la que dos personas trabajan juntas, no separadas. Me produce una gran satisfacción derribar las barreras y conectar con alguien. A menudo hago muy buenos amigos durante las sesiones... ¡Aunque no siempre!»

«La mayoría de los artistas, algunos de ellos grandes estrellas, se sienten inseguros. Les resulta más fácil que los fotografíen mientras están metidos en un papel porque pueden escudarse en el personaje. Y cuando deben desenmascararse... tratar de averiguar quiénes son como individuos presenta un reto mayor. Creo que es algo que se me da bien: dirigir a gente y conseguir que se relajen, se fíen de mí y se sientan seguros. Consigo ponerme al mismo nivel que ellos. Suelo dejar mi ego en la puerta. Con un ego en el estudio durante una sesión basta.»

Gorman usa una iluminación fuerte y muchas sombras. Revela a la persona al tiempo que se niega a contestar a todas las preguntas. «Cuando comencé, mis fotos parecían sellos intercambiables. La luz estaba situada sobre la cámara y la foto resultaba un retrato que proporcionaba todas las respuestas. Actualmente considero que las fotos son más enigmáticas cuando hacen que desees saber más sobre la persona.»

Gorman compara su amor por el retrato con el amor que siente por el vino y admite que de no haberse convertido en fotógrafo no le cabe duda de que se dedicaría a la viticultura. «Es una de las grandes pasiones de mi vida. Existe una correlación con lo que hago. Las botellas de vino son como las personas. Guardan muchas características similares entre sí.»

Johnny Depp, actor
«Me encanta esta foto porque supuso mi iniciación en la fotografía digital. Fue una de las primeras veces que usé una cámara digital en una sesión importante. Johnny y yo éramos amigos desde hacía años... Es un tío normal, encantador y muy brillante. Siento un gran respeto por él... Compartimos la afición por el vino. Le gusta tanto como a mí y, cómo no, aquella mañana corrieron grandes cantidades de vino. Le dije: "Mira, acabo de empezar a utilizar esta cámara digital, ¿hacemos unas fotos?". Al final de la sesión, la calidad de la imagen me convenció de que las cámaras digitales son capaces de producir imágenes sorprendentes. El negocio está virando hacia lo digital.»

Harrison Ford, actor
«Harrison estuvo genial. No llevaba un séquito detrás, no acudió a la sesión con mánager, publicista ni agente..., no lo rodeaba ninguno de los parásitos que acostumbra acompañar a esta gente y vuelve locos a los fotógrafos como yo... Siempre hay un puñado de actores que se rodean de gilipollas para que los protejan y los aíslen..., pero Harrison no es de esos, y esa es una de sus grandes cualidades. Condujo su propio coche hasta la sesión y apareció solo. Sin pretensiones. Yo no tenía que responder ante nadie más. Tomé la foto con iluminación natural en la azotea de mi estudio. Simplemente charlamos y bromeamos. Le interesa mucho la fotografía digital, así que conectamos enseguida. De hecho tiene la misma cámara que yo estaba empleando en aquella sesión y me dijo: "Dios, ojalá supiese usarla".»

Donald Sutherland, actor
«Esta foto pertenece a una sesión para *The Italian Job*. La tomé en Venecia, Italia. Nunca había trabajado con Donald... Una de las personas de producción empezó a agobiarlo diciendo: "¡Venga ya! Debemos darnos prisa porque Greg tiene que fotografiar a Charlize Theron en cuanto acabe contigo". Creo que eso le molestó; hizo que se sintiera menos valorado y se puso de mal humor. Pero le dejé las cosas claras. Le dije: "No sé quién te ha dicho eso, pero son gilipolleces. De todos los actores que aparecen en la película eres con el que más ganas tenía de trabajar". Así que nos pusimos manos a la obra y acabamos cenando juntos esa noche. Pueden cargar a la gente de energía negativa, es algo que escapa a tu control. Forma parte de lo que encuentro más sorprendente en esta profesión. Quedó en mis manos hacer que el enfado se le pasara y conseguí eliminar esas vibraciones negativas..., aunque tardé un rato en lograr que se relajara. Es parte importante de mi profesión.»

Philip Johnson, arquitecto
«Philip tiene una inteligencia sorprendente. Es un individuo clásico, extremadamente divertido. Una de las cosas que me llamó la atención fue su increíble sentido del estilo. Vestía de manera impecable. Estábamos en una oficina, así que mis recursos eran limitados; pero me encantó la silla Eames. La línea de esa silla y el perfil de Philip... el perfil, la línea de la silla, la crudeza del blanco y negro, resulta fascinante. En las obras arquitectónicas de Philip, las líneas y las formas son esenciales. Fui muy consciente de las líneas de la imagen.»

Traci Lords, actriz
«Conocí a Traci durante el rodaje de la película de John Waters *Cry-Baby*, hace unos diez años. Fue justo después de que Traci hubiese dejado atrás todo "aquello" a lo que se dedicaba y estaba dando el salto al cine convencional. Me encantó su honestidad y vulnerabilidad. Nos hicimos amigos. Mientras escribía su autobiografía me preguntó si querría hacer la portada del libro. Siempre me había parecido una mujer muy elegante y una buena persona con un gran sentido del humor. Traci no se encontraba muy cómoda con su pasado. Se avergonzaba, y creo que el libro resultó muy catártico para ella. Su pasado no forma parte de la chica que conozco; es una etapa de su vida que ha vivido y superado. Así que quisimos un retrato que reflejase su renacer, una mujer algo mayor, algo más sabia, y aún muy sensual. Pero la mirada que tiene la foto... probablemente se deba a que trataba de mantener los ojos abiertos mientras le daba el sol de frente. La sesión se realizó en un estudio iluminado con luz natural en las colinas de Hollywood. Pero aun así creo que transmite cierta sabiduría.»

Hugh Jackman, actor
«Hugh se mostró extremadamente accesible, abierto, con un gran sentido del humor, muy generoso respecto a lo que podía aportar trabajando conmigo. Acabamos realizando la sesión en las calles del centro de Los Ángeles. Esta foto fue tomada bajo un puente. Hugh emanaba calma. Es una persona muy centrada, con los pies en el suelo.»

Sara Foster, actriz
«Me encanta esta foto. Suelo hacer muchos desnudos, tanto masculinos como femeninos. Es un desnudo pero sigue siendo un retrato. Aunque no mire a cámara. Es un retrato de Sara Foster, la hija de David Foster, el compositor. Se trata de un trabajo en el que disfruté de bastante libertad.»

Fergus Greer

Greer nació en el Reino Unido y creció en el sur de Irlanda. Se licenció en la Saint Martins School of Art and Fashion de Londres, la escuela de arte mejor considerada de la ciudad. Posteriormente, en un giro inesperado, se graduó en la Royal Military Academy de Sandhurst y sirvió con el grado de teniente de infantería de la Guards' Brigade.

Tras su paso por el ejército y después de haber trabajado para varios fotógrafos, obtuvo el prestigioso puesto de ayudante de Terence Donovan y de Richard Avedon. Una vez aprendió lo que necesitaba, comenzó a trabajar por su cuenta y se estableció en Londres durante seis años, donde colaboró en el *Sunday Times Magazine*, entre otras publicaciones.

En otoño de 1997 se mudó a Los Ángeles desde donde inició su carrera en Estados Unidos, aunque no por ello abandonó su trabajo editorial europeo y sus clientes de siempre. Parte de dicho trabajo editorial incluye revistas como *Vanity Fair*, *New Yorker*, *Forbes*, *Newsweek*, *Marie Claire* y *GQ*. Su extenso trabajo en publicidad incluye a compañías como IBM, Winston, Caldwell Banking y JP Morgan. Greer ha publicado dos libros hasta la fecha, aparte de la edición del presente volumen, y ha expuesto por todo el mundo.

Greer se convirtió en retratista en gran medida porque le interesa la gente. «Un retrato narra una historia como un libro, como una pieza musical, como un cuadro. No tiene por qué centrarse en el rostro. Algunos de mis retratos no tienen nada que ver con la cara. Un retrato puede ser abstracto, pero debe captar una esencia. Cada persona es una recopilación de su pasado, los lugares donde ha estado, lo que ha hecho y lo que ha visto. Y de algún modo todo eso se graba en su esencia. Lo que capto forma parte de esa historia ingente que cada cual lleva a cuestas o que ha vivido o ha visto, y supongo que trato de capturar eso y convertir algo etéreo en algo físico y permanente.»

Recuerda con cariño una fotografía en blanco y negro sacada en el jardín trasero de sus abuelos y que quizá fue la primera que le impresionó. «Es una foto del día en que mis padres se prometieron. Están en el jardín y sostienen una botella de champán. La imagen transmite la inmensa felicidad del momento. Sí. Ese momento, esa época, esa 1/30 fracción de segundo en f4.»

Alguien dio a Greer una vieja cámara Box Brownie, que funcionaba con carretes de 120, cuando tenía cinco años y él comenzó a fotografiar a los perros de la familia. No lo considera fotografía seria, pero las fotos poseen cierta calidad. «Resultan atractivas, capturan un momento.

Leigh Bowery, artista y diseñador de moda:
Cabeza pompón naranja
«Esta foto forma parte de una serie de fotografías de Leigh que hice durante un período de seis años. Nos reuníamos y fotografiábamos los nuevos vestidos que él acababa de terminar. Yo empezaba como fotógrafo, así que en cierto modo cada sesión era un nuevo disfraz para él pero a mí me permitía llevar a la práctica los elementos nuevos que estaba aprendiendo sobre el proceso fotográfico; para mí fueron seis años de crecimiento. Leigh era fantástico. Le encontró el sentido a aquello. Las fotos eran una extensión de lo que estaba haciendo y creaban un legado. No dejó que nadie supiese que estaba muriéndose hasta las últimas semanas. No era el típico autocompasivo complaciente consigo mismo. Siempre consideró que este sería su legado.»

Imelda Marcos, política
«Estaba realizando un encargo sobre Imelda Marcos para *Sunday Times Magazine* justo en las afueras de Manila, en Filipinas. Me había pasado varios días siguiéndola, aunque sin hacerle fotos, y pude observar que, pese a que se trataba de una persona muy fuerte con gran confianza en sí misma, su nerviosismo se reflejaba en el hecho de que no dejaba de sacar un pañuelo de encaje y de pasárselo por la cara continuamente. Así que al final me llamó la atención el estuche donde lo guardaba, de oro con diamantes incrustados formando su nombre; el anillo de compromiso de diamantes de nueve quilates que simbolizaba los nueve días de cortejo previos a la boda, el pañuelo de fino encaje y la manicura francesa que comenzaba a desprenderse en las cutículas, lo que mejor reflejaba una época que se desmoronaba. Así que decidí centrarme en eso. Pedí permiso a la señora Marcos y, aunque no entendió por qué, me lo concedió y luego se aburrió. Usé una Hasselblad con una lente de 80 mm con película en color de 400 ISO.»

Pedro Almodóvar, director de cine *(izq.)*
«Soy un gran fan del trabajo de Almodóvar. Esta foto forma parte de la serie "Directores", y me había impuesto ciertas limitaciones. Llegué a Nueva York y dispuse de cinco minutos antes de una rueda de prensa. Se suponía que debía encontrarme con él en el hotel Trump Tower. Estaba esperándolo y vi a unos niños que jugaban en el parque. Era temprano, sobre las siete de la mañana. Era un día de invierno, estaba nublado y reinaba la calma. Sugerí a Almodóvar que fuésemos al parque y enseguida vio el columpio y se sentó, ese fue el momento. Tomé la foto en cuestión de segundos.»

Chita
«Este es Chita, el chimpancé de las antiguas películas del Tarzán de Johnny Weissmuller que vive desde su jubilación en Palm Springs; ahora tiene 75 años. Conduje hasta allí y su cuidador, que lo heredó de su padre, lo llevó vestido con ropa de hombre, ropa humana. Lo cual me molestó e incomodó, así que le pedí que le quitara la ropa y el cuidador, el dueño, su amigo, lo que fuese, estuvo de acuerdo. Los ojos de Chita transmitían cierta resignación que podría interpretarse como cansancio... Estaba cansado de que lo fotografiaran, de ser un mero objeto interesante sin voz ni voto. O quizá estaba cansado de envejecer pero aún era un luchador. Lo traté como a cualquier otro sujeto. Me centré en su cara, y esta reflejaba su pasado. Al final el retrato conmovió a varias personas. Peter Blake, el artista, la vio en la portada de la revista *Sunday Times*, le gustó y la incorporó a una colectiva de fotografía exclusivamente sobre Chita titulada "Ahora tengo 64 años", la edad que tenía entonces el chimpancé, que se expuso en la National Gallery londinense. No hallé ninguna diferencia entre fotografiar a Chita o a una persona; al final, todo se reduce a saber relacionarse con el retratado.»

Debo admitir que nunca me interesó el proceso de revelado y de impresión, pero hacer la foto y observar la imagen terminada... siempre pensé que en cierto modo se trataba de magia, y aún lo pienso.»

Para Greer, la fotografía es la lucha por captar una imagen que satisfaga todo lo que pretende lograr, que conmueva emocional y estéticamente, algo de lo que no siempre disfruta. Pero busca la armonía constantemente. «Cuando consigo una foto así y al contemplarla descubro que en cierto sentido he logrado esa armonía, resulta muy satisfactorio. Necesito que mis obras me satisfagan en el plano personal. Resulta agradable la atención positiva de la crítica y el reconocimiento, pero solo para afianzar mi autoestima; no creo que la sensación de logro provenga de ahí. Al final, todo depende de uno mismo. Debo estar contento con lo que he hecho y eso supone una lucha constante... pero de ahí es de donde proviene la satisfacción.»

Baz Luhrman, director de cine
«Esta foto la tomé bajo el agua en la piscina del hotel Chateau Marmont de Hollywood. Se trataba de un proyecto personal, una serie sobre directores de cine de todo el mundo. Me impuse todo tipo de limitaciones para este proyecto. Cuando me instalé en Los Ángeles descubrí que la fotografía había quedado relegada a un segundo plano por culpa de los niveles de producción y el número de personas involucradas en el proceso fotográfico; por esa razón, supongo, quise retomar lo básico y establecer ciertos límites. Dichos límites consistían en: no tendría una idea preconcebida sobre la imagen antes de encontrarme con el sujeto, este decidiría la duración de la sesión, solo utilizaría la iluminación disponible y película en blanco y negro. Usé una Hasselblad metida en una pecera a la que incorporé bolsas de arena para que se hundiese. La foto está inspirada en el precioso momento en que Romeo y Julieta se ven por primera vez en la película de Luhrman. Se miran a través de una pecera.»

Damien Hirst, artista
«Damien acababa de inaugurar su primera exposición. Era el nuevo *enfant terrible* del mundo artístico, muy al comienzo de lo que acabaría denominándose "Brit Art". Era el abanderado del movimiento y recibía mucha atención de los medios de comunicación. En su estudio tenía una lona que cubría algo. No sabía qué era y le pregunté: era un foso con formaldehído y contenía cadáveres de animales que constituían la materia prima de varias esculturas. Realmente representaba lo que estaba haciendo. Me pareció que la mejor forma de identificarle con aquella temática implicaba que se desnudase, convertirlo también en cadáver. Le pregunté si lo haría, se lo pensó y consideró que la propuesta se encontraba próxima a su línea de pensamiento. Logré subir a las vigas y lo fotografié desde arriba. No se mostró consciente de su desnudez en ningún momento. Pero yo lo pasé fatal los dos días siguientes por haber estado expuesto al formaldehído; su olor es nauseabundo y resulta venenoso.»

Lou Harrison
Palo Alto, California, Estados Unidos, 2001.

Bruce McDonald, director de cine canadiense
Magic Castle, Hollywood, California, 1992.

Fergus Greer

Dominick Guillemot

El fotógrafo francés Dominick Guillemot siente una clara y obvia pasión por el retrato. «Lo que más me gusta es captar el interior de alguien, capturar el alma de las personas, lo que son», comenta. «Pretendo captar una parte íntima de la persona en la foto, mostrar una faceta que la gente no conozca y, de ser posible, que sea diferente.»

Guillemot disfruta de una carrera exitosa trabajando para marcas comerciales y revistas de moda, y además es conocido por sus retratos de celebridades. Posee una gran habilidad para captar el espíritu de sus modelos y está especialmente dotado para plasmar la belleza femenina. Para lograrlo se sirve especialmente de una cuidada iluminación.

«Incluso cuando estoy hablando con alguien, suelo comprobar la iluminación.» El ingenioso uso de la luz es evidente en las mágicas atmósferas que crea en sus imágenes. «También estoy enamorado de la gente», admite. «La fotografía tiene muchas facetas, no solo se trata de sacar la foto. Has de hacer que todo el mundo esté de acuerdo con tu idea y trabajar sobre ese plan, prepararte para dar lo mejor de ti, y los equipos con que trabajo son fantásticos. Realmente disfruto de esa parte del trabajo. Por supuesto, adoro la belleza, así que mi trabajo combina todos estos elementos. ¡Soy un hombre afortunado!»

Guillemot estudió dibujo y pintura mientras vivía en París, y muy pronto le encargaron la fantástica tarea de retratar a Salvador Dalí. «Aquello fue increíble, genial.» Durante un descanso de la sesión, Dalí invitó a almorzar a Guillemot y a sus ayudantes. El fotógrafo quiso inmortalizar al artista en el restaurante con discreción. Dalí le dijo: «No hace falta que mire hacia otro lado. ¡Siéntese, encuadre y saque la maldita foto! Así al menos parece que está haciendo algo.» Ambos se sintieron a gusto, y la sesión se prolongó durante tres días.

Debido a la cantidad de encargos que ha realizado a lo largo de su vida, Guillemot ha desarrollado una expresión que usa con todo el mundo, incluidos clientes y modelos: «¡No hay problema!». Dado que sus puntos fuertes abarcan diversas áreas, es capaz de hablar con confianza. «El secreto es que me muestro amigable con la gente y no me pongo nervioso, lo cual es muy importante en el retrato. Además,

Christina Aguilera, cantante

soy un experto en cuanto a técnica y creatividad. Sé exactamente cómo conseguir lo que quiero en el aspecto técnico. No ha habido un día en mi vida, ni siquiera uno lluvioso, en que fuese incapaz de disparar. En ese sentido estoy tranquilo.»

Durante años Guillemot ha considerado su perfeccionismo una debilidad. La nueva tecnología digital ha saciado su necesidad de lograr la fotografía perfecta. «De momento estoy aprendiendo a "soltarme". Actualmente disparo en digital y así solvento el tema del perfeccionismo; veo los resultados al momento. Para mí ha solucionado un gran problema, porque yo lo quería todo perfecto, perfecto, perfecto. Con la fotografía digital, si una imagen no está a mi gusto siempre puedo retocarla después, y me evito haber de bregar con los pequeños detalles. Animo a todos los clientes a elegir el digital y me encanta.»

Cuando trabaja con modelos, aprecia que tengan varias vertientes pero siente que por encima de todo existe una «veracidad», que es la que trata de extraer de la gente. «Has de ser fuerte para abrirte y eso se nota al hacer la fotografía.

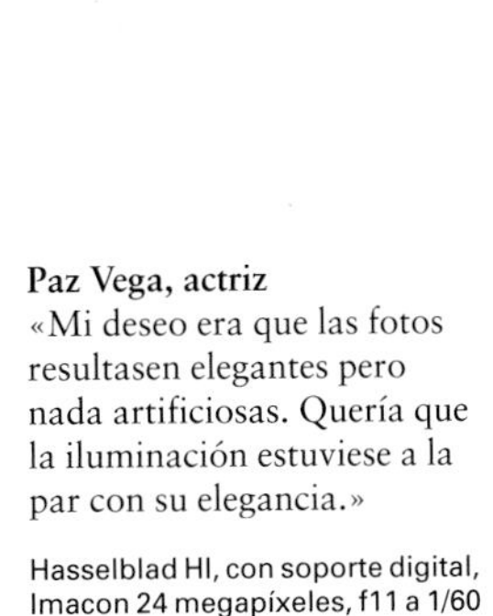

Paz Vega, actriz
«Mi deseo era que las fotos resultasen elegantes pero nada artificiosas. Quería que la iluminación estuviese a la par con su elegancia.»

Hasselblad HI, con soporte digital, Imacon 24 megapíxeles, f11 a 1/60 segundos.

Uno siente cuándo la persona se entrega o no, y cuando lo hace resulta genial.»

En sus inicios como fotógrafo Guillemot se inspiró en el trabajo de Henri Cartier-Bresson. Su actual referencia es Gregory Crewdson y su foto favorita es la que figura en la portada del libro de Crewdson *Twilight*. «Gregory es sorprendente. ¡Estoy seguro de que te encantará su trabajo!»

Respecto a su propia obra, recuerda con cariño su primera vez detrás de la cámara. «Era mi primer muñeco de nieve y recuerdo que lo fotografié. Conservar aquel momento, que para mí entonces era importante, me gustó. La fotografía posibilita que puedas capturar un momento en particular que deseas mostrar. Puede servir de guía en la vida. Si la gente ve a gente contenta, quiere estar contenta; si ve a gente enamorada, quiere estar enamorada. Es una gran forma de comunicarse y de conservar el momento para siempre.»

Guillemot cree que el mundo de la fotografía ha cambiado muchísimo desde comienzos de la década de 1980. «Hace quince años la fotografía estaba estancada y ahora no. Está viva, es real, divertida y es una forma de arte.» Tanto él como sus fotografías son parcialmente responsables de este cambio de tendencia.

Admite que disfruta de una vida espiritual feliz, por eso no sorprende que una de las personas que querría retratar sea el Dalai Lama. «Lo he visto, pero si consiguiera hacerle un retrato sería increíble», comenta. Curiosamente, de no haberse convertido en fotógrafo, Guillemot habría acabado de profesor de yoga y windsurf. «Soy absolutamente feliz cuando practico windsurf con mi mujer y mi hijo junto a nuestra casa de Malibú, en California.»

Guillemot, atolondrado e infantil en su fascinación por la vida y el arte, cuenta con orgullo lo que considera su mayor logro. «Sin lugar a dudas, mi familia: mi esposa y mi hijo, que tiene diez años.» Además, está encantado de compartir su filosofía vital y su credo, los principios según los cuales su trabajo y su vida continúan resultando mágicos y encantadores. «En la vida, hazlo lo mejor que puedas; hay que pensar cada segundo cómo sacarle el mejor partido.»

Daryl Hannah, actriz
«Esta foto trataba de captar a la estrella de cine Daryl. Realizar una foto tan íntima exigió paciencia y confianza. Daryl se entregó al 600%.»

Hasselblad H1, zoom de 50-110 mm.

Kylie Bax, actriz
«Kylie se metió de lleno en la sesión en cuanto le mostré las polaroids. Vio las posibilidades del momento y dio lo mejor de sí misma. El equipo y yo estábamos emocionados, y Kylie se contagió; volaba. El concepto de la sesión giraba en torno a lo bien que sabe moverse delante de la cámara..., así que supusimos que una simple sesión en el estudio potenciaría sus puntos fuertes. Me apoyé en la simplicidad: menos es más.»

Mamiya RZ 6x7 cm, lentes de 127 mm, Kodak 160nc, f11'5 a 1/30 segundos.

Rie Rasmussen BW, modelo y actriz
«Estábamos haciendo una sesión para Neiman Marcus disparando unas fotos fantásticas en un teatro viejo y al final del día quise tomar algunas imágenes más personales. El humor de Rie estaba influido por la oscuridad del centro de Los Ángeles.»

Mamiya RZ 6x7 cm, lente de 140 mm, película TRIX 400.

Russell James

El camino que llevó a Russell al mundo de la fotografía merece ser contado. «Empecé trabajando como obrero metalúrgico en una fábrica y, lo creas o no, acabé haciéndome policía. En aquel entonces empecé a realizar trabajos de vigilancia y me interesé mucho por las cámaras.» Poco tiempo después, dejó el trabajo policial y se marchó a Europa. «Al principio creí que me gustaban los paisajes hasta que una vez, buscando paisajes en Grecia, un hombre se sentó delante de mí y saqué una foto de su cara, que me pareció muy interesante. Así fue como me decanté por el retrato.»

James desarrolló su enérgico y emotivo estilo mientras vivía y trabajaba en los mercados fotográficos de Londres, París, Tokio, Estocolmo y Milán entre 1987 y 1996. Debutó como director de anuncios en 1997 y trasladó sin problemas su estilo inconfundible a la imagen en movimiento. En 1999 comenzó a dirigir una película rompedora combinada con un proyecto multimedia titulado *Nomad*.

Conocido también por su gusto por las localizaciones naturales y la arquitectura, James ha fotografiado las playas más hermosas, el interior de Australia y los casquetes del hielo ártico, así como casas de diseño de Nueva York, Los Ángeles, Londres y París.

Las imágenes de James han destacado en publicaciones importantes como *Vogue*, *Elle*, *Marie Claire*, *W* y *Sports Illustrated*. Reconocido como uno de los fotógrafos punteros de moda, su catálogo abarca de la moda a la belleza, del retrato de famosos a la publicidad o a los proyectos artísticos.

A James le encanta la intimidad de una sesión fotográfica. «Aunque estés fotografiando a una celebridad que posa desnuda o a un pobre o a un niño, se crea un lazo que, si bien dura segundos o minutos, genera una sensación agradable. Y, por supuesto, la emoción más grande se produce cuando te devuelven la película revelada.»

«Sensual» e «íntimo» son las dos palabras que mejor describen su trabajo. «Me encanta el enfoque sensual de la imagen, ya se trate de una persona o de un paisaje. Me gusta que una fotografía tenga algo íntimo y sensual. Algunas personas dicen que mi trabajo es sexy, pero trato de mantener el equilibrio en ese aspecto y diría que mi trabajo se encuentra entre lo sensual y lo sexy.»

Las personas a las que querría retratar van variando a lo largo del día, dependiendo del humor o del capricho. «Si me preguntases ahora mismo si me gustaría fotografiar a David Bowie te contestaría que sí. ¿Una foto de una señora mayor en Grecia? Sí, me gustaría. Desde la perspectiva de la pasión. Debería decir que mi temática favorita es cualquiera que refleje reconciliación. Esta es la temática del proyecto *Nomad* en el que estoy trabajando. Por reconciliación me refiero a algo que ha transcurrido en el mundo durante miles de años. No sé exactamente en qué consiste, pero está

Adrianna, modelo
«Esta foto es una imagen entre bastidores de una sesión real. Pensé que era el momento perfecto en medio del caos. La idea era fotografiar a la chica pese a todo lo que la rodeaba: el pelo, el cigarrillo y todo lo demás; está preciosa. A menudo creemos que las bellas modelos de lencería habitan un entorno sexy. Por supuesto no es así. En esta imagen también vemos a su niña interior, que es lo que me encanta; no es más que una cría. Eso es lo que más me conmueve.»

Tomada con una Hasselbland HI con película en blanco y negro TRIX 400 que coloqué a 200 y forcé medio punto.

Faith Hill, cantante
«Tengo mucho aprecio a esta fotografía. La sesión se desarrolló durante varios días, y Faith fue realmente amable. Se comportó como una de las personas más sinceras y honestas que he conocido, por eso este retrato tiene tanto valor para mí. Usamos la misma máquina que se utiliza en el cine para crear lluvia. No pretendía que la sesión se convirtiese en una especie de competición de camisetas mojadas pero, como Faith transmite tanta fuerza, quise que ella sintiera la fuerza del agua. Reaccionó y disparamos muy rápido. Confió en mí, se dejó llevar y conseguí unas imágenes que significan mucho para mí.»

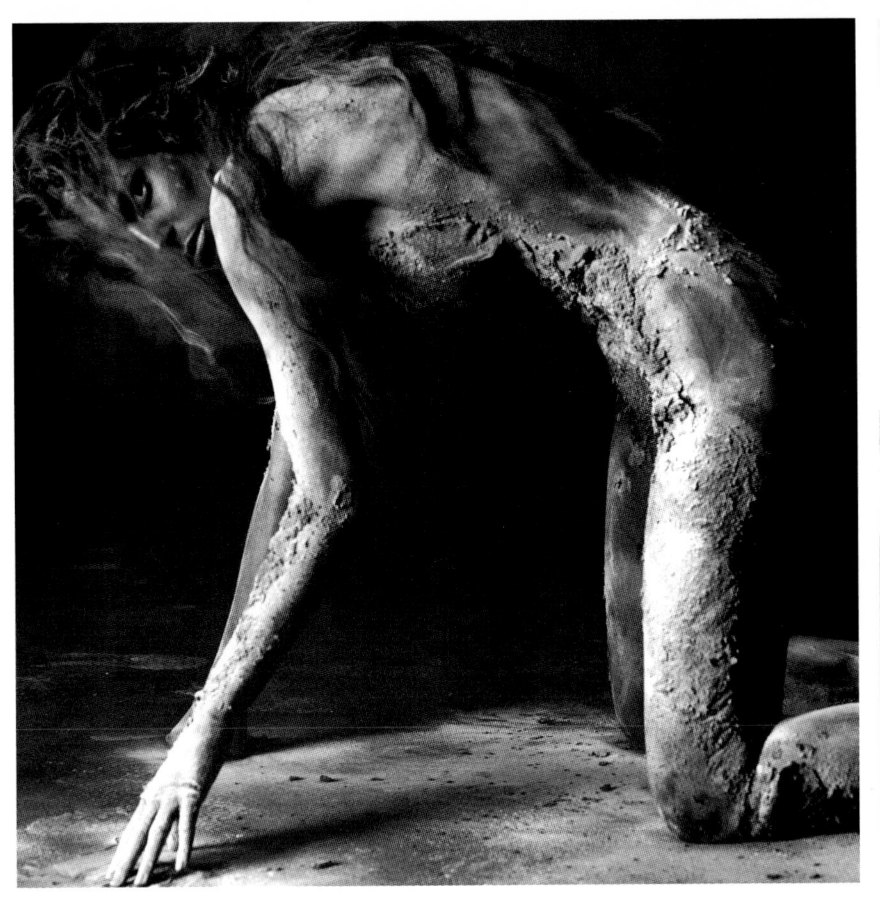

Rachel Roberts, modelo
«Para mí esta foto de Rachel recreaba un período. Se supone que representa un momento que denomino "inhibición", el período en que la sabiduría y los conocimientos antiguos se encuentran con la sabiduría moderna. En este caso tenemos a una belleza moderna, y yo traté de captar la rabia y la desconfianza, pero también la pura belleza subyacente.»

Fotografiada con Optima 100 película / a 80, iluminación 6K HMI con mucha luz lateral.

Heidi Klum, modelo
«Esta imagen forma parte de la serie "Discovery" de *Nomad*. Partí del concepto de un nacimiento desde la tierra. Parece que Heidi brote de la tierra, y por eso la cubrimos de barro y otros elementos de los grandes montículos de termitas de Australia. Luego hicimos que empezase desde muy abajo, pegada a la tierra, y fuese subiendo. Está entre una flor y el nacimiento de una nueva especie animal. ¡Y no habíamos consumido drogas! ¡Ninguna! En el aspecto técnico soy muy básico. Creo que cuando algo funciona es mejor no cambiarlo.»

Era una 12K HMI con película TRIX a 200 forzada medio punto.

relacionado con las viejas culturas y con la gente mayor. Hay un gran conocimiento en ese "viejo mundo", y en la actualidad se ha impuesto un conocimiento nuevo que nos está llevando a destruir la manera en que lo habitamos. En medio de los dos, en alguna parte, se encuentra la reconciliación.»

James ha recorrido un interesante camino desde el pequeño pueblo del interior de Australia del que procede. «Probablemente había unos quinientos chavales blancos y unos cinco mil aborígenes. Era una dinámica bastante descompensada y extraña, y no me percaté de que estaba creciendo en un mundo cerrado y muy intolerante. Ahora todo ha cambiado, pero en aquella época no sabía más. Me encanta averiguar lo que no sé, aprender, crecer.»

Al principio, la fotografía apenas le daba para pagar las facturas. «Viví muchos años en una espiral de deudas porque cada vez que sacaba una foto me costaba dinero. No soy rico ni mucho menos, pero al final encontré la manera de salir de aquella situación y no tuvo nada que ver con encontrar dinero. Simplemente sigo mi camino. Creo que si te mantienes fiel a tu camino de algún modo el dinero te encuentra a ti para ayudarte a entenderlo todo.»

James es un hombre de gran sabiduría y perspicacia, pero no duda en admitir que su mayor logro son sus dos hijas. «Ellas equilibran la vida. Son la causa de que tenga arrugas alrededor de los ojos, son mi mayor fuente de estrés, el mayor dolor, el mayor todo, ¡pero de algún modo funciona!»

Giselle, modelo
«Giselle y yo trabajamos mucho juntos. Gran parte de lo que hacemos es publicidad. Por supuesto, hemos tenido la oportunidad de compartir playas preciosas, pero suele ser bajo una gran presión por parte de los clientes. Lo cierto es que no es más que una muchacha, fuerte y preciosa. Le encanta jugar y casi nunca puede exteriorizarlo porque tiene que hacer de gatita sexy para las fotos. Creo que esta foto capta lo que ella es: un espíritu salvaje brasileño, lo cual no ha de tener necesariamente connotaciones sexuales. Está relacionado con ser salvaje y libre y pasarlo bien. No pretendía fotografiarla en ese momento, pero estaba bailando como una loca mientras yo trabajaba, y me di la vuelta y me dije: "Tengo que fotografiarla".»

Como puede verse, tiene demasiados destellos. La tomé con una Kodak VC 400 pero no recuerdo la apertura del diafragma. Sé que lo cerré bastante, probablemente alrededor de F32, para amortiguar el efecto del sol.

Nadav Kander

Nadav Kander nació en Tel Aviv, Israel, en 1961. Comenzó a fotografiar a los trece años de edad, y su estilo a la vez tranquilo e inquietante todavía caracteriza su obra actual. Criado en Sudáfrica, detestaba la escuela y tras dejar los estudios vivió como un delincuente hasta que un accidente de moto a los diecisiete años lo obligó a centrarse en la fotografía.

La primera foto que recuerda haber hecho la sacó cuando tenía trece años, en una piscina del colegio. Fotografió a una de las hijas pequeñas de una profesora con una Pentax Spotmatic que acababa de comprarse con el dinero de su Bar Mitzvá. «Era adorable, y en realidad aquello fue lo que me enganchó.»

«Creo que la forma de vida más interesante del planeta es la humanidad.» Kander considera que tratar de hacer fotografías maravillosas de gente muy famosa implica un reto gratificante por las circunstancias, generalmente complicadas, y el tiempo del que suele disponerse. «Hace poco fotografié a la banda de rock REM justo antes de un concierto, así que tenían la mente en otras cosas... El momento no era el más adecuado», explica. «A eso me refiero: a menudo no suele ser su mejor momento.»

La primera fotografía que lo cautivó era una vista de la Tierra desde el espacio, razón por la que le habría gustado fotografiar al primer hombre que pisó la Luna. «Estoy fascinado con el primer tipo que vio la Tierra como una pequeña esfera. Debió de ser asombroso ser el primero... Quiero decir, se volvió un poco loco, ¿no?» De todos aquellos que le han influido e impactado, a quien más admira es al arquitecto Tadan Andal. Mark Rothko también es una de sus grandes influencias. «Me maravilla la gente con tendencia a los espacios, a la composición espacial.»

Quizá resulta extraño en un fotógrafo, pero Kander se considera bastante tímido. «A veces creo que no obtengo lo mejor de las personas porque me preocupa que se encuentren bien. No puedo evitar ponerme nervioso antes de casi todas las sesiones, pensando en que he de relacionarme con ellas y no solo fotografiarlas.» Sin embargo, esa timidez no impide que realice los retratos tal y como quiere. Cuando se le pregunta si cree, como en ciertas culturas, que la fotografía roba el alma de la persona, se expresa con franqueza: «Por lo general, estoy más interesado en la parte exterior de las personas. Me interesa menos saber qué las mueve que cómo puedo conseguir que hagan lo que quiero o se conviertan en lo que necesito».

Describe una foto típica suya de la siguiente manera: «Sin duda es una foto de la que me siento muy satisfecho... y que deja insatisfecho al espectador. Busco la ambigüedad». En su catálogo intenta incorporar una sensación de quietud o de que está a punto de pasar algo, posiblemente algo desagradable. «No disfruto de las fotos o del arte que responde a todas las preguntas. Es lo que distingue un paisaje hermoso de otro que muestra la mano del hombre en ese paisaje, roto; algo que hace que te

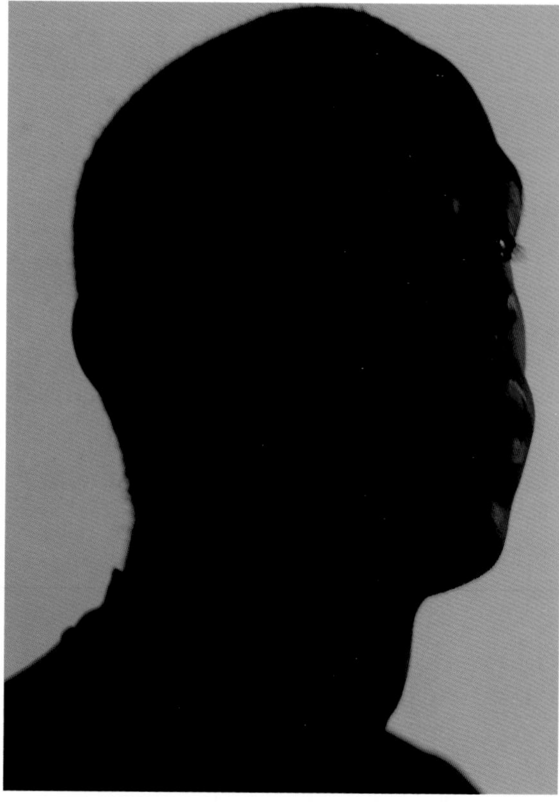

Benicio del Toro, actor
«Realmente admiro a Benicio, y creo que el respeto que siento por él es mutuo. Me encantó trabajar con él, y desde entonces colecciona mi obra. Nos mantenemos en contacto. Intercambiamos discos compactos... Le envié el de *Tosca*.»

David Beckham, futbolista
«Ilumino con geles de colores e imprimo mi trabajo. Me gusta cómo imprimo e imprimo tal y como me gusta. Fue un tiempo de exposición muy largo, quizá unos seis segundos, y ambos nos movimos. Quería verlo de manera diferente. Pretendía encontrar la forma de fotografiar de un modo distinto, y que encajase con los parámetros de mi obra, a Beckman, que debe de ser la persona más fotografiada del mundo. Además, me di cuenta de que no iba a sacar gran cosa de un tipo como él, que siempre acaba mostrando la misma imagen.»

Usé una Mamiya 6x7. Iluminé con verde por un lado y con un poco de luz frontal que oscila ante sus ojos... Y además está el movimiento.

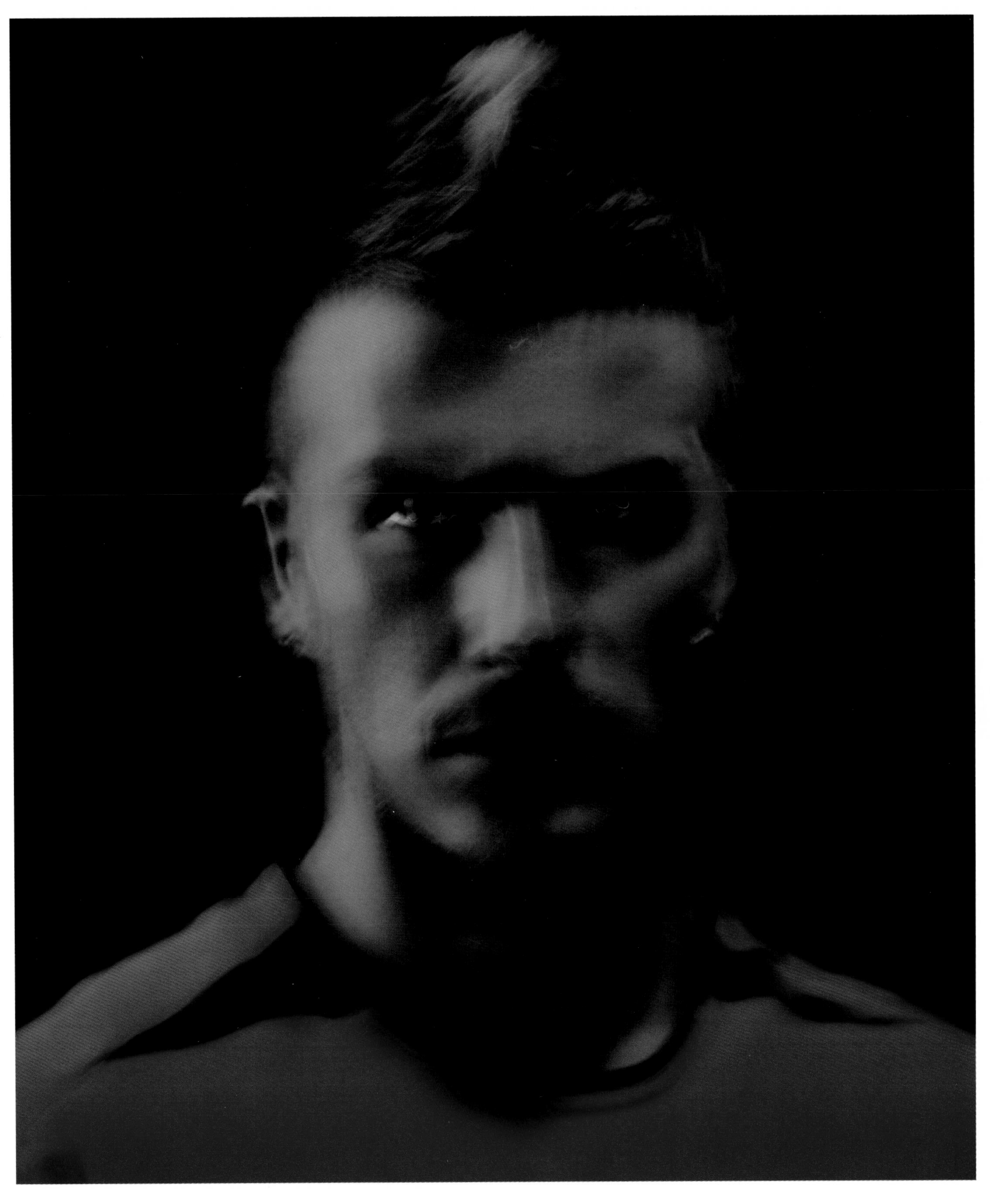

Thierry Henry, futbolista *(izq.)*

preguntes cosas. Me motiva no estar satisfecho con lo que hago. Es una de las razones por las que siempre busco más imágenes o mejores fotos para un proyecto en particular. Creo que el día que me encuentre extremadamente cómodo con lo que he hecho, no progresaré. Así que considero que la felicidad absoluta, como fotógrafo, es inalcanzable. Y en cierto sentido espero que siempre sea así, porque es positivo. La insatisfacción constituye una de mis mejores herramientas. Ni siquiera me considero un perfeccionista... No trato de alcanzar la perfección. En el arte no cabe la perfección.»

«Es una de las cosas a las que me enfrento... Las ideas preconcebidas acerca de la belleza siempre están ligadas a la perfección y no quiero tener nada que ver con eso. Fotografiar la belleza solo por la perfección es como imprimirla en papel mojado. El arte abarca cosas mucho más importantes.»

Los intereses de Kander son diversos y no se siente atado por la supuesta importancia de la especialización o de trabajar en un solo proyecto cada vez. «Creo que una de mis cualidades radica en mi interés por tomar más de una dirección al mismo tiempo.»

Le encanta la cooperación, tener a alguien que contribuya con ideas y se involucre en el proyecto. «Intento decir a los modelos qué estoy buscando y se lo muestro para que se emocionen con el proyecto. Los actores son los modelos más interesantes porque te posibilitan múltiples vías creativas.»

Christopher Lee, actor
«Siempre empiezo de forma similar: tratando de conocer a la persona. No quiero comenzar a hablar de un modo que la calme o la cambie. En ocasiones espero hasta que se vuelve un poco insoportable, al menos así captaré esa sensación. Y luego quizá hablo. En realidad depende... Antes me interesaba que la gente renunciase a cualquier emoción, que se relajase del todo para ver solo el armazón, entonces sacaba un par de fotos y en eso consistía la sesión. En vez de tratar de captar lo que eran, trataba de captar su aspecto, literalmente, como si abrieses una nevera del depósito de cadáveres. Pero no suelo hacerlo con los famosos porque no viene al caso... Aquí era consciente de los patrones, del mapa en la frente de Christopher Lee. También hay injertos de fibra de vidrio en su pelo que no se aprecian del todo. Parece que tenga hierba artificial bajo la piel. Le pedí que se quitase el sombrero. Le gusta que lo fotografíen con un sombrero puesto y fingió que no le importaba quitárselo, por eso lo sé. Pero no intentaba ser cruel.»

Benicio del Toro, actor
«Trabajamos juntos en esta sesión durante unas seis horas mientras su agente de relaciones públicas decía: "¡Venga ya, Benicio! ¿Estás loco?". Acabamos a medianoche. Resulta bastante extraordinario disponer de alguien tan conocido durante tanto tiempo. Lo del vagabundo surgió cuando nos encontramos. Me percaté de que respondería bien a la idea: de noche, sentado sobre la acera. Resulta interesante trabajar con alguien tan bueno. Les ves volverse hacia su interior, tratando de encontrar algo que le haga tener el aspecto y la sensación adecuados, y adoptando la imagen perfecta para el papel. Es fascinante, me encanta.»

Usé una cámara de 5x4 pulgadas con película negativa. Debieron de ser exposiciones de entre 10 y 15 segundos.

Nadav Kander

Yousuf Karsh

Yousuf Karsh falleció en 2002, dejando tras de sí un legado sin precedentes. Considerado uno de los mayores artistas y empresarios del siglo xx, su obra ha influido a otros grandes artistas además de a políticos e iconos de la industria del entretenimiento. Gracias a su trabajo, se ha convertido en una leyenda de la talla de aquellos a los que fotografiaba.

Nació en Mardin, Armenia, en 1908, Karsh se mudó a los dieciséis años a Ottawa, Canadá, para vivir con su tío y evitar el genocidio armenio. Durante una época asistió al colegio y quiso estudiar medicina, pero su destino quedó sellado cuando su tío le regaló una cámara Box Brownie. Poco después, regaló a un amigo del colegio uno de los retratos que había hecho. Sin que él lo supiese, su amigo lo inscribió en un concurso y Karsh ganó el primer premio, que consistía en cincuenta dólares. Su tío, fotógrafo retratista profesional, le enseñó todo lo que sabía sobre el oficio y no tardó en percatarse del extraordinario talento de Yousuf, así que a los veinte años lo envió a Estados Unidos como aprendiz de John Garo en Boston. Garo, fotógrafo de cierto renombre, le enseñó las técnicas del retrato, aparte de compartir con él sus inclinaciones filosóficas. «Garo me preparó para pensar por mí mismo y para que desarrollase mis interpretaciones personales», comentaba Karsh.

En principio debía ayudar a Garo durante seis meses, pero se quedó con él tres años, período en que lo vio fotografiar a Arthur Fiedler, a Serge Koussevitzky y a muchas otras personalidades del mundo de la música y del teatro. Karsh se propuso fotografiar a «aquellos hombres y mujeres que dejan huella en el mundo».

Quizá la experiencia histórica más significativa de Karsh fue retratar al entonces primer ministro británico Winston Churchill, un retrato que lo situó en el primer plano mundial. Se cuenta que Churchill no sabía que acudía a una sesión fotográfica y concedió a Karsh veinte minutos. Karsh quería tomar la foto sin atrezo y retiró el clásico puro de Churchill. Cuando este se dio cuenta, Karsh disparó y sacó la que probablemente es la foto más famosa del siglo pasado.

Sin apenas experiencia en la venta de su obra, Karsh aceptó una oferta de la revista *Life*. «Me ofrecieron cien dólares, que acepté porque era muy inocente acerca del valor de las cosas; solo quería que la foto fuese publicada.» Admitía felizmente que la famosa foto «es uno de los retratos más publicados de la historia».

Martin Luther King, líder de los derechos civiles
Esta foto muestra al defensor de los derechos humanos Martin Luther King. Fue asesinado en 1968 por supremacistas blancos.

Sir Winston Churchill, político
Esta foto fue tomada en 1941, cuando Churchill era primer ministro británico.

Presidente John F. Kennedy y Jacqueline Kennedy *(izq.)*

Audrey Hepburn, actriz
Nació en Bélgica, y su verdadero nombre era Edda van Heemstra Hepburn-Ruston. La cautivadora actriz de Hollywood, una de las actrices más glamourosas y elegantes del siglo XX, aparece aquí en una fotografía de Karsh de 1956. Audrey poseía un donaire y una elegancia que pocas estrellas han igualado antes o después. Obtuvo el reconocimiento por su interpretación de Holly Golightly en la adaptación para la gran pantalla de *Desayuno con diamantes*. La estrella supo ganarse también el cariño del público por su dedicación a los niños en los continuos viajes no lucrativos que realizó en nombre de UNICEF.

Esta ingenuidad no tardaría en desaparecer. Karsh era prolífico y las personalidades más célebres y poderosas de la época acudían a él. Se consideraba un privilegio ser «karshado», expresión que se atribuye al mariscal de campo sir Bernard Law Montgomery de El Alemain. Karsh viajó por todo el mundo y retrató a familias reales, hombres de Estado, científicos, artistas, escritores, músicos..., y todos deseaban ser inmortalizados por su cámara.

Para preparar las sesiones aprendía todo lo que podía sobre el sujeto al tiempo que evitaba «cualquier idea preconcebida sobre la manera de fotografiarlo». Al contrario, buscaba el elemento esencial que hacía único a cada modelo. «Solo sé que cada hombre o mujer esconde un secreto, y como fotógrafo mi trabajo consiste en tratar de mostrarlo», declaró. «Para tener una sesión satisfactoria el fotógrafo debe prepararse informándose acerca del modelo a fin de alcanzar una comunicación inmediata, ya que el corazón y la mente son las auténticas lentes de la cámara.»

Karsh apenas usaba atrezo en sus retratos y le encantaba incluir las manos como vehículo expresivo del sujeto. Siempre realizó retratos simples, usando una iluminación característica y sombras profundas. Era un maestro con las fuentes de luz disponibles, ya fuesen naturales o artificiales. Pese a que prefería la iluminación natural, supo dominar la manipulación lumínica para lograr sus objetivos.

Neil Armstrong, astronauta
Esta foto de 1969 muestra al comandante de la misión Apollo 11, primer hombre en pisar la Luna.

Albert Einstein, científico
La fotografía, tomada durante la década de 1950, muestra al físico germano-estadounidense que adquirió fama mundial por desarrollar las teorías acerca de la relatividad. Le fue concedido el Nobel de física en 1921 por su explicación del efecto fotoeléctrico. Einstein está considerado uno de los grandes pensadores que desarrollaron y revisaron teorías acerca del espacio, el tiempo y la relatividad.

Tras sesenta años de encargos fotográficos, cerró su estudio y se mudó a las afueras de Ottawa donde vivió durante muchos años. Coleccionó obras de artistas reconocidos pero una sola fotografía: un retrato de su segunda esposa. En relación con los motivos que lo habían llevado a retirarse comentó: «Ahora fotografiaré a quien me apetezca».

El trabajo de Karsh se ha exhibido en Canadá, Gran Bretaña, Australia, China y Estados Unidos, y sus retratos están expuestos en museos de todo el mundo. La mayor parte de su extenso archivo —unos 250.000 negativos, 12.000 transparencias en color y más de 50.000 impresiones originales— fue adquirida en 1987 por los National Archives of Canada, con sede en Ottawa.

Humilde por naturaleza, casi nunca alababa su trabajo. Tras retirarse proclamó en cierta ocasión: «Mi mejor foto quizá la haga mañana». Le encantaba su profesión y la gente a la que tenía el privilegio de fotografiar. «Espero ilusionado cada día de trabajo y creo que me dedico a la profesión más excitante del mundo.»

Pese a que a lo largo de su vida captó la imagen de algunos de los mayores triunfadores del mundo, decía que le gustaba fotografiar «a los que son grandes de espíritu, ya sean famosos o humildes». Siempre buscaba la verdad, la belleza y la bondad, y a lo largo de su larga y fructífera carrera encontró humanidad en todos los rostros que fotografió.

Bill Clinton, político
Mirando hacia el futuro, el entonces presidente de Estados Unidos adopta una mirada lejana y decidida en esta foto de 1993.

La reina Isabel II y el príncipe Felipe
Esta foto fue tomada al comienzo del reinado de Isabel II y muestra a la pareja real británica con aspecto juvenil, optimista y resuelto.

Quizá sus palabras sean las que mejor resuman y celebren su carrera: «Cuando uno observa el germen de la grandeza ante su cámara, debe reconocerlo en un instante. Se produce un momento fugaz en que todo lo que pasa por la mente, el alma y el espíritu de una persona se refleja en su mirada, sus manos, su actitud. Ese es el momento que hay que inmortalizar. Es el esquivo "momento de la verdad"». Karsh fue un maestro a la hora de lograr tales objetivos, y su legado fotográfico ha conseguido lo que anhelaba; es decir, que sintamos «el mundo más cercano de lo que en realidad es».

Fidel Castro, líder cubano
Esta foto forma parte de una sesión de tres horas que tuvo lugar en 1971 el día de la fiesta nacional cubana. Castro acababa de dar un discurso de dos horas y media y estaba exhausto. El refrigerio consistía en ron cubano con Coca-Cola. Cuando Karsh preguntó a un cansado Castro si era capaz de reproducir la calidez y la espontaneidad de sus primeros minutos juntos, este le respondió: «No soy tan buen actor, no puedo hacer de mí».

Humphrey Bogart, actor
Fotografía tomada en 1946.

Richard Kern

Kern nació en Roanoke Rapids, Virginia, Estados Unidos, en 1954. Jamás se propuso dedicarse a otra cosa que no fuese la fotografía. «Tan solo retrospectivamente puedo afirmar que me dedico al retrato.» Su obra se ha expuesto en galerías de Estados Unidos, Francia, Países Bajos, Italia y Suecia, y ha realizado exposiciones individuales y colectivas desde 1985. También se han publicado diversos libros acerca de su persona.

Estudió filosofía del arte en la University of North Carolina, en Chapel Hill, y comenta que «solo trataba de prepararme para disfrutar de una profesión agradable. Quería dedicarme a algo en lo que no me importase continuar trabajando a los ochenta años». Hubo una época en que consideró seriamente dedicarse a la pintura, y aún lo hace. «¡Ojalá pintase! Lo hice en la escuela y tengo amigos pintores... A menudo me digo: "Tío, ojalá te dedicaras a esto". Pero nunca he sido capaz de pintar lo que veo en la mente del mismo modo en que puedo captarlo con la cámara. En ocasiones la pintura me resulta extremadamente frustrante.»

Cuando preguntó a su profesor favorito de filosofía qué podría hacer con una especialización en filosofía, este le contestó: «Bueno, podrías trabajar en un banco u ocupar un puesto similar que te permitiera pensar sobre la vida». Fue entonces cuando Kern se pasó al arte. «Al menos con el arte podía acabar dedicándome a la docencia o hacerme humorista.»

Su primer recuerdo fotográfico procede de la niñez. Comenzó haciendo maquetas de coches para fotografiarlos y enviar las fotos a la revista *Model Car.* «Nunca gané nada», admite. «Solo veía el coche, el aspecto que me imaginaba que tenía, no lo que realmente tenía delante. Con las fotografías auténticas, cuando consigues que fluya la magia, es un asunto totalmente distinto. Creo que es entonces cuando te conviertes en un verdadero fotógrafo.»

Cuando se le pregunta por qué le gusta su profesión contesta: «¿Sabes a qué me dedico? ¡Fotografío a mujeres desnudas! Incluso cuando fotografías a alguien vestido no es un oficio ingrato. Es como mantener una relación de un

Asia.

día con alguien y ni siquiera ha de ser íntima, pero de todos modos acabas conociendo a la persona».

En cuanto a alcanzar la felicidad perfecta mediante el trabajo comenta: «No creo que sea posible, porque si ocurriese no tendría sentido. Sé que me alegro cuando me devuelven los negativos y hay en ellos fotos hermosas, y eso es lo que va a decir todo el mundo; eso lo resume todo. Además, también puedes alegrarte si te pagan por lo que te gusta hacer. Mi trabajo es estupendo».

Tras detenerse a pensar un momento, añade: «La mayor fuente de felicidad para mí consiste en encontrar un modelo que nadie ha conseguido tener, que nadie podrá tener». Pese a que le encantaría fotografiar a Kate Moss «solo porque llevo viéndola toda la vida y todo el mundo la ha fotografiado», lo que más le gustaría sería una exclusiva.

Kern tiene sentido del humor y cuando se le pide que defina su arte, resulta natural que conteste: «¡Salen personas! Ahí lo tienes, ¡en mi arte salen personas!». Es fácil comprender que no hay nada que le inspire más que la gente. «Me encantan muchas películas,

Kim y Joyce

Nick Nolte, actor

libros y movimientos; el movimiento de la juventud. Me inspira caminar por las calles de Nueva York, especialmente durante la primavera. Todo el mundo se quita los abrigos de invierno y es como estar en la playa.»

Le cuesta recordar el arte que lo inspiró. «Algunas cosas me inspiraron siendo joven. A los veinte años tienes grandes influencias, pero a medida que vas haciéndote mayor se entremezclan y te das cuenta de que todo viene a ser lo mismo... no idéntico, todo el mundo hace lo suyo.» Su fuente de inspiración actual proviene de las películas del director sueco Lukas Moodysson y el trabajo fotográfico de Terry Richardson. «El trabajo de Richardson me gusta porque le da igual. Eso me inspira.»

Kern se pregunta si no estará perdiendo una oportunidad de oro para mencionar a sus mentores o a la gente cuyo trabajo ha admirado y le ha influido. «Recuerdo leer entrevistas e investigar para averiguarlo todo acerca del entrevistado, para aprender.»

Lo que más le impresiona de sus modelos es que se muestren dispuestos a hacer cualquier cosa. «Que no les importe lo que sea. He disfrutado de modelos así, que no han objetado a lo que sea que les haya pedido. Eso no ocurre con el trabajo comercial. Te dicen: "¡No pienso hacerlo!". Es genial cuando un modelo se fía de ti y tú confías en él.»

Como muchos otros, Kern considera que su mayor logro no es su fotografía, sino su hijo. «Sí, supongo que se trata de mi hijo. Es una respuesta cursi, pero probablemente sea cierta.»

Joyce le pasa el hilo dental a Kim

Lucy

Lord Lichfield

Patrick Lichfield se inició en la fotografía a una edad temprana. «Solía coger la cámara de mi abuelo de la mesa del salón y sacaba fotos porque me fascinaba aquella caja. Luego la ponía otra vez en la mesa, y mi abuelo se sorprendía cuando le devolvían los carretes revelados.»

Siendo muy joven lo enviaron a un internado donde añoraba el hogar. «Allí necesitaba algo que me recordase a mi casa, así que me llevaba una foto de mi hermana, del jardín o del perro, algo sencillo, que se convertía en un talismán, un recuerdo.»

En el internado, los compañeros de Lichfield intercambiaban fotos a modo de souvenir. No tardó en descubrir que se le daban bien los retratos y que podía obtenerlos más baratos que en la tienda del colegio, por lo que decidió fotografiar a toda la clase. Cuarenta años más tarde, tuvo la oportunidad de fotografiar a las mismas personas en una reunión. «Algunos estaban mejor que otros, pero los hombres tienden a volverse más interesantes, sus caras son infinitamente más interesantes ante la cámara a los sesenta años que a los veinte.»

«No había decidido dedicarme al retrato, me gustaba la fotografía en general», explica. «Aunque nunca lo pretendí, para mí el retrato se ha convertido en una especialidad porque comencé a trabajar para *Vogue* y me encargaron muchos. No me considero esencialmente un retratista.»

«La fotografía es una profesión extremadamente gratificante, porque al final del día tienes algo que mostrar fruto de tu esfuerzo. Actualmente solo hago fotografía digital. Hace cuatro años que no disparo con película. Con la cámara digital veo el resultado al instante, y la satisfacción de tomar una foto o lograr lo que pretendía es de lo más placentera. Otro factor importante es que veo exactamente lo que tengo, puedo fijarme en los detalles, y eso era imposible con una Polaroid.»

Una vez descubierta la fotografía digital, no ha vuelto a mirar atrás. En pequeño formato, trabaja con su nueva Olympus E1 y para formatos mayores usa una Hasselblad con fondo digital H1. «Realmente fantástica, puedes disparar 22.000.000 píxeles y tienes toda la información que necesitas para un archivo muy grande.»

«Con la Hasselblad he hecho grandes carteles publicitarios que en los viejos tiempos habrían sido imposibles.» A Lichfield le divierte que algunos fotógrafos profesionales se nieguen a entrar en el campo digital. «Nosotros vamos captando imágenes a medida que trabajamos. Y lo mejor del formato digital es que podemos mostrar sobre la marcha las imágenes al retratado o al cliente y averiguar si le gusta la dirección que estamos tomando.»

Cuando más disfruta es cuando ha terminado un encargo que satisface tanto a él como al cliente. «Tanto si realizo un retrato particular, como si trabajo para una agencia de publicidad o una revista, soy feliz cuando hago felices a los demás, cuando hago un buen trabajo y satisface a todos; eso es hermoso.»

Considera que el retrato es fruto de un esfuerzo común. «No solo soy yo haciendo la foto, estoy fotografiando a una persona que sale a mi encuentro. Tiendo a confiar en mi habilidad para involucrar a la persona en el proceso e infundirle el mismo empeño para lograr lo que quiero.»

Cuando sus sujetos se muestran receptivos, el trabajo discurre con más fluidez. «Intento que las personas se muestren tan abiertas como yo cuando las fotografío.

Paul Getty, ejecutivo y en su día uno de los hombres más ricos del mundo, junto a su esposa Talitha
«Esta foto la tomé en su casa de Marrakech, Marruecos, para la edición estadounidense de *Vogue* a finales de la década de 1960. Talitha era una gran anfitriona y solía celebrar unas fiestas descomunales a las que acudía la jet set. Salvajes y extravagantes incluso para el estándar de la época, las fiestas de Talitha eran muy famosas; muchas tuvieron lugar en la azotea que aparece en la foto y duraban varios días. Talitha luce, como tenía por costumbre, los extraños y hermosos vestidos que le encantaba ponerse.»

Duques de Windsor
«Fue mi primer encargo para la edición estadounidense de *Vogue*, en 1967, en Francia. Me caí de la silla a propósito para tratar de producir en ellos esta reacción. No eran muy dados a la expresividad facial, tal y como descubrió Richard Avedon, quien hubo de fingir que había sucedido algo horrible para extraer algo de expresividad de sus rostros. Pero a mí me bastó con caerme de una silla. Saqué la foto mientras caía.»

Sir John Gielgud, actor
«Es un famoso actor shakesperiano, una de las grandes figuras del teatro británico de la década de 1930. Lo fotografié en 1988. No puedo decir mucho más acerca de esta foto...»

Tommy Cooper, humorista
«Tommy Cooper fue uno de los mejores humoristas británicos en las décadas de 1960, 1970 y 1980. Era famoso por su fez, el sombrero de fieltro rojo que lleva en la foto. No es más que una foto que hice para una revista. Y me gusta bastante como retrato. Se nota que es humorista, ¿verdad?»

Harold Macmillan, político
«Esta foto la tomé para conmemorar el noventa cumpleaños del ex primer ministro británico; ¡es muy mayor! Solo recuerdo que comenzaba a nevar y se me congelaban los dedos, pero lo conseguí. Es solo una foto bonita.»

Brooke Shields, modelo y actriz
«Brooke a los dieciséis años de edad, en Nueva York, 1980. Probablemente sea la única persona a la que solo he dedicado un carrete. Me di cuenta de que con un carrete bastaba. Brooke tenía algo que fascinaba a la cámara. Creo que la única otra persona con la que he podido hacer lo mismo es Audrey Hepburn.»

En ocasiones están encorsetadas y debo intentar que se relajen, es muy importante. No se obtiene una buena foto de alguien reticente. Necesito que el sujeto se abra y, si lo hace, mi trabajo resulta sencillo: tengo la mitad de la labor hecha.»

En lo referente al retrato, Lichfield se apoya en la experiencia en vez de forzarse a pensar maneras nuevas de enfocar un proyecto. «Creo que a medida que vas haciéndote mayor, acumulas experiencia que te resulta extremadamente útil; pero de joven careces de ella y por eso tienes que ser algo más creativo. Es una cuestión de empuje, y mi punto débil consiste en que a veces no me fuerzo lo suficiente.»

También cree que no hace fotos lo bastante duras. «Mis fotos tienden a resultar demasiado amigables. Casi siempre me pagan por hacer que los modelos tengan buen aspecto en lugar de retratarlos tal como son. En cierto modo mis imágenes no son del todo realistas; tienden a resultar favorecedoras.»

Lichfield admira el trabajo de sus viejos héroes Irving Penn y Richard Avedon, aparte de a artistas contemporáneos como Annie Leibovitz, a quien considera extraordinariamente brillante. «Snowdon, a su manera, es uno de los mejores retratistas. Aquí en Inglaterra hay un fotógrafo llamado Clive Arrowsmith al que considero muy bueno. Destaco también a Bailey, no solo porque es un viejo amigo sino porque en mi opinión posee una flexibilidad sorprendente y su estilo es muy depurado.»

Hasta el momento Lichfield conserva unos cuatro millones de fotografías y está muy orgulloso de su colección. «Es una especie de legado y, aunque supongo que la mayor parte de ellas no son gran cosa, componen la historia de mi vida. En cierto sentido es una historia pictórica, un diario; del mismo modo que una pieza musical puede provocar recuerdos nostálgicos también puede despertarlos una fotografía. Casi puedo oler y recordar dónde estaba cuando las hice con solo mirarlas... Son entrañables y constituyen un hermoso recuerdo.»

Mark Liddell

«Solo puede percibirse la belleza exterior cuando se percibe la belleza que habita en nuestro interior.» Mark Liddell es un hombre de pocas palabras que se expresa a través de su fotografía.

Con humildad, Liddell afirma que llegó al retrato fotográfico de manera casual. «Comencé como fotógrafo de moda en Londres, haciendo campañas para Versace, Fendi y otros, y actualmente combino la moda con las celebridades. No me considero retratista; el término me parece anticuado.»

Liddell es un artista que vive según sus principios y se rodea de belleza visual. Le gusta fotografiar a personas porque se siente «capaz de conectar con otro ser humano, de lograr que este se fíe de mí lo bastante para permitirme capturar emociones reales y hallar belleza en él, todo ello bajo presión y durante un período muy corto.»

Posee las envidiables cualidades de la paciencia y la tenacidad. Cree en la bondad de la gente y ha llegado a la conclusión de que «incluso el sujeto más complejo o exigente debe de tener alma». Otra cualidad que lo destaca es que es capaz de ir directo al grano. Si tiene algún punto débil es su incapacidad para involucrarse en las relaciones públicas profesionales y tratar con los séquitos que rodean a gran parte de sus modelos, lo que evita a toda costa.

Para Liddell, las oportunidades más gratificantes surgen de situaciones en las que puede fotografiar a personas que confían en él y en su trabajo de manera natural. Es entonces cuando se expresa totalmente mediante la fotografía y crea sus mejores obras.

Reacio a catalogar sus imágenes en cualquier estilo o enfoque, todas ellas proyectan cierta humildad que quizá refleje lo que él considera su mayor logro y una poderosa filosofía: «Creo en mí y acepto la persona que soy». Tan fatalista como filosófico, opina que la fotografía era el único camino posible para él.

Christina Aguilera, cantante

Michelle Pfeiffer, actriz

Bellos jóvenes bailando

Jennifer Connelly, actriz

James Franco, actor

Sheryl Nields

Sheryl Nields nació y creció en Los Ángeles, California, y tras estudiar en la Parson School of Design de Nueva York fue ayudante de Patrick Demarchelier y de Stephane Sednaoui, entre otros. Ha destacado como una de las fotógrafas de famosos más solicitadas durante los últimos años y ha realizado encargos para publicaciones tan prestigiosas como *Arena* (Reino Unido), *Elle* (Reino Unido), *Entertainment Weekly, Esquire, GQ, Harper's & Queen, Interview* y *Premiere*.

Nields ha fotografiado a diversas celebridades, entre las que se incluyen Tobey Maguire, Heather Graham, Milla Jovovich, Naomi Watts, Sheryl Crow, Pete Yorn, Britney Spears, Christina Aguilera y Whitney Houston. Nields es miembro activo de la comunidad y colabora con organizaciones benéficas de apoyo a la infancia participando en el Beyond Baroque Community Center de Venice, California, y forma parte de diversos grupos de apoyo a enfermos de VIH/ SIDA, como Act Up.

Nields posee un inteligente sentido del humor combinado con un gran ingenio. Escogió el retrato, según sus propias palabras, «porque se me daba bien encontrar los defectos de la gente, y además, el cine snuff ya no da dinero. Se me da bien la gente, ¡maldita sea!»

Visto el comentario, no sorprende que sea difícil entrevistarla porque cuesta distinguir cuándo habla en serio y cuándo en broma. «Me gusta lo que hago, creo. Las voces del interior de mi cabeza así me lo dicen. Me gustaría fotografiar esas voces que me complican tanto la vida.»

Sostiene que los retratos le hablan y cree que hallará la felicidad «cuando todos los que he tomado dejen de contestarme. No se callan..., siguen y siguen... ¿No los oyes? ¿No oyes las incesantes vocecitas empujándome, censurándome, riendo y riendo y riendo...?» Sin lugar a dudas esas vocecitas la ayudan constantemente. Hay quien dice que su éxito se basa en el don que tiene para conectar rápidamente con sus famosos modelos y en su habilidad innata para plasmar la personalidad y energía de estos en la imagen fotográfica.

Nields valora que su mayor virtud, profesionalmente hablando, radica en la aceptación y la comprensión de que no existe nada nuevo en el arte. «No hay ideas originales, no hay barreras que romper, no hay límites inexplorados. Ser consciente de ello mantiene la frescura de mi trabajo.» Resulta típico de Nields confesar que este también es su mayor defecto.

En su caso la inspiración proviene de un amplio y ecléctico grupo de personas. «La CIA, Henry Lee Lucas, Stalin, Charles Manson, Idi Amin, Keyser Sose, Dorathea Punte, Ed Gein... el tipo que trabaja para *World Weekly News*. ¿Viste las fotos de la boda gay entre Sadam y Bin Laden? Sobrecogedoras.» La lista sigue: «Doss, Stephen Jobs, Wozniac, Christopher Guest, Michael McKean, Failure, Egon Schiele, Willy Nelson, Tim Burton, D. H. Lawrence, Diane Arbus, la señorita Moneypenny, Ms. Good Victory, K-Hole, Lak, Keith, Hollista...»

Heather Graham, actriz

Heather Graham, actriz

Sheryl Neilds

Fiel a su ingenio, comenta la primera fotografía que realizó. «Una polaroid de Roman Polanski en una bañera con... No, no... creo que fue de mi pulgar.» Cuando piensa en qué otra profesión habría escogido, se detiene a pensar un momento. «Impartiría charlas de motivación o sería artista de *World Weekly News*. Hace muuucho tiempo pensé en ser Bat Boy», fantasea.. «Quizá trabajaría en una tienda de ropa para caballeros, no lo sé, ¿qué horarios tienen?»

Dos son sus mayores logros: en primer lugar, su hijo Doss y, en segundo lugar, «conducir por la autopista 405 de Los Ángeles sin tener que disparar a nadie...». Nields busca ciertas cualidades en un sujeto, algunas de sus favoritas son: «Autoengaño... Motivos ocultos... Riqueza... Megalomanía... Psicosis bipolar sin tratar... Amargura... Labio leporino».

Y así es Sheryl Nields, salvaje, libre y fotógrafa de las personas más sorprendentes del mundo, de las que capta su grandeza y sus defectos. Nields ha supuesto una gran contribución a la comunidad de retratistas, pero probablemente nunca se tomará a sí misma tan en serio.

Mandy Moore, cantante y actriz

Tobey McGuire, actor

Naomi Watts, actriz

Holly Palmer, cantautora

Milla Jovovich, actriz y modelo

Terry O'Neill

Terry O'Neill nació en 1938 en el East End londinense. De joven su única ambición consistía en convertirse en músico de jazz. «Empecé como batería; eso era para mí lo más importante entonces.» Esa ambición lo llevó a la fotografía de famosos. Siendo adolescente dejó los estudios y decidió buscar trabajo como auxiliar de vuelo en la compañía British Airways. «Me pareció una manera de llegar a Nueva York, donde podría estudiar a los grandes del jazz.»

La línea aérea no disponía de plazas en aquel momento, pero casualmente le ofrecieron un puesto en la unidad de fotografía técnica, empleo que compaginó con la escuela de arte. Mientras estudiaba, se decantó gradualmente por el fotoperiodismo. Sacó una foto de un político dormido en el aeropuerto de Heathrow y la vendió al *Sunday Times*, donde apareció en primera página. El editor del periódico le ofreció un puesto de fotógrafo en la zona aeroportuaria y O'Neill aceptó.

Comenzó a trabajar en la calle Fleet y, con veintiún años, se convirtió en el fotógrafo más joven en conseguirlo. Realizó fotografías pop para el *Daily Sketch* y al poco tiempo formaba parte del grupo de fotógrafos jóvenes que marcaba tendencias entre los que figuraban David Bailey, Terence Donovan, Patrick Lichfield y Brian Duffy, germen del «swinging London» de la década de 1960.

«Nadie pensó que duraría. He perdido docenas de negativos de esa época porque no se me ocurrió conservarlos», comenta. Por entonces no pensaba que su trabajo sería expuesto en importantes museos y galerías, entre los que figura la National Portrait Gallery de Londres. «Lo único que me preocupaba era conseguir un trabajo decente», recuerda.

Llegó un momento en que consideró la posibilidad de que su carrera fotográfica se prolongara. «Haber fotografiado a los Beatles y a los Stones nos abrió las puertas a todos. Montaban fiestas en las que conocíamos a todas las estrellas y pensé: "Vaya, esta gente ha durado, quizá los iconos de los años sesenta también lo hagan".»

Como fotógrafo de plantilla del *Daily Sketch* durante la década de 1960 retrataba con una 35 mm, algo que no era habitual en esa época. Trataba de aportar cierta espontaneidad a los retratos y captar con éxito lo que

Paul Newman y Lee Marvin, actores
Gigantes de Hollywood durante el descanso de un rodaje, 1970.

consideraba «el momento decisivo». La cámara de 35 mm le permitía crear una sensación de profundidad e intimidad que le reportó una buena reputación por ser capaz de captar los momentos «imperfectos» de las vidas de las celebridades en una época en que solía buscarse la perfección.

Resulta obvio que O'Neill disfruta con lo que hace y trabajando con gente, y gracias a ello posee una cartera de poderosos clientes procedentes del mundo de la política y de la industria del entretenimiento. Con los años ha recibido encargos de las principales publicaciones internacionales, como *Life*, *Premiere*, *Vogue*, *Playboy*, *Sunday Times Magazine*, *Paris Match* y *Rolling Stone*. Ha fotografiado a las personalidades más estelares, entre las que destacan Winston Churchill, Joan Collins, Groucho Marx, los Beatles, Dean Martin, Clint Eastwood, Robert Mitchum, los Rolling Stones, Isabella Rossellini y Steve McQueen, por mencionar algunas. Entre sus encargos figura un retrato de la reina Isabel II de Inglaterra para el grabado que aparecería en los billetes de curso legal diseñado por Alan Dow de De La Re.

Cuando acepta un encargo, lo enfoca como si fuese un director de cine con un guión. «No puedes entrar en una habitación y esperar a que la sola presencia de Sinatra convierta una fotografía en una genialidad. Debes crear la escena, el tipo de atmósfera que hace única una foto. Muchas personas piensan que con una gran estrella no puedes fallar, pero se equivocan. Cuanto más duro trabajes y más fotos hagas, más momentos decisivos captarás. Todo radica en la experiencia, en estar preparado, en anticiparte.»

Además de exponer su obra, recientemente ha publicado un libro, *Celebrity*, que ha tenido una gran acogida. En su celebrado *Legends*, O'Neill describe cómo ha fraguado amistad con todas las celebridades que aparecen en el libro; de hecho, estuvo casado con Faye Dunaway. Sus retratos en blanco y negro muestran a O'Neill como a un gran artista. Capta los momentos naturales que todo el mundo adora: Janis Joplin preparándose para actuar,

Michael Caine, actor
El actor inglés Michael Caine en la década de 1960. Entre los papeles más destacados de sir Michael Caine figuran *Alfie*, de 1966, *Un trabajo en Italia* y su interpretación de Harry Palmer en una trilogía de películas. (CAMERA PRESS/ Terry O'Neill)

Jane Fonda descansando entre tomas durante un rodaje, Albert Finney ejercitándose... Así mismo, sabe plasmar momentos especiales: Sharon Tate embarazada mostrando ropa de bebé diez días antes de morir, Peter Sellers bromeando con Lord Snowdon o el primer encuentro entre Elizabeth Taylor y David Bowie. En *Celebrity* también hay fotos de Mick Jagger vestido con traje, de Frank Sinatra durante un rodaje en Florida junto a sus guardaespaldas, de Sammy Davis Jr. ensayando y de Laurence Olivier vestido de mujer. Un brillante álbum fotográfico de estrellas.

O'Neill conserva la esperanza de comenzar una segunda carrera como pintor. «Siempre he deseado pintar. Me encanta Francis Bacon; la forma que tiene de expresarse es emoción pura. Hace cuatro años comencé a asistir a clases de arte, pero la cosa no funcionó. Descubrí que con los pinceles no era capaz de expresar mis emociones como lo hago con la cámara. La fotografía trata sobre la emoción. Cuando sea el momento adecuado, probaré de nuevo con la pintura.»

O'Neill es un auténtico historiador de los avatares del mundo. Continúa documentando acontecimientos y personas con su punto de vista, único y sugerente, y con su habilidad para congelar un momento en el tiempo y captar «el incuantificable factor X de la celebridad».

Marianne Faithfull, cantante
Faithfull fue una figura clave de los años sesenta. Famosa por su idilio con Mick Jagger y otros miembros de los Rolling Stones, Faithfull también canta. La fama y los excesos la sumergieron de joven en una espiral de alcohol y drogas, pero ha salido a flote. En 1994 publicó su autobiografía *Faithfull* y ha editado varios álbumes de éxito como *Vagabond Ways* (1999) y *Kissing Time* (2002). (CAMERA PRESS/ Terry O'Neill)

Frank Sinatra, cantante y actor
Fotografía tomada durante el rodaje de *La mujer de cemento*. (Camera Press Digital)

Faye Dunaway, actriz
Belleza estadounidense y actriz destacada de Hollywood en una imagen de 1975. Nacida el 14 de enero de 1941, Dunaway llamó la atención con su papel en *Bonnie and Clyde*, 1967, película en la que compartió protagonismo con Warren Beatty. (CAMERA PRESS/ Terry O'Neil.

Frank Ockenfels III

Ockenfels es un fotógrafo afincado en Nueva York que lleva casi dos décadas dedicado al retrato. Sus imágenes han aparecido en las portadas de *Rolling Stone, Esquire, Premiere y Newsweek*, entre otras grandes publicaciones. Ha fotografiado a músicos, famosos, directivos empresariales y quizá incluso a alguno de nuestros vecinos.

Realiza pósters promocionales para Paramount, Miramax, Warner Bros, Focus Features y Universal, y también ha hecho campañas televisivas para las principales cadenas. Empezó a dirigir a finales de la década de 1990, y desde entonces ha sido autor de importantes vídeos musicales así como de anuncios para Nike, Converse, K-Swiss, Canon y *The New York Times*.

Está seguro de que su primera foto la tomó con una Instamatic de mala calidad. «Mi madre dice que cuando era pequeño acostumbraba salir a la calle a fotografiar coches. Luego, cuando ya tuve mi propia cámara, fotografié cementerios.»

Frank considera el retrato una conversación: «Me gustan las conversaciones. Mientras disparo siempre entablo una conversación; a veces dialogo con la persona a la que fotografío para hacerla partícipe, pero en otras ocasiones hablo conmigo mismo si estoy buscando soluciones para algún problema que haya surgido. Siempre trato de encontrar respuestas a las situaciones complicadas».

«Soy de los que creen que no hay que hacer pasar por el aro a las personas. Prefiero animarlas a participar. Siempre les digo cosas como: "¿Te resultaría natural mover la cabeza hacia allí?". De lo contrario siento que impongo mi voluntad, y no considero que eso sea hacer un retrato.»

Julianne Moore, actriz
«Creo que es una gran foto que encierra lo que soy. Era un encargo para *New York Magazine*. Cuando Julianne apareció para la sesión me pidió disculpas porque no podría quedarse mucho tiempo. Pensé que debíamos ir afuera, así que cogí unos pocos bártulos y, gracias a que Julianne se mostró muy participativa, conseguimos el retrato en veinte minutos. Hicimos dos diferentes y este fue el primero. Es una combinación entre tres tipos de luz. La belleza de Julianne es algo que no puede obviarse, podría vestirse con un saco de patatas y seguiría estando preciosa.»

Chloe Sevigny, actriz
«Siempre me ha gustado esta foto, y resulta curioso si se tiene en cuenta que suelo fotografiar la cabeza y los hombros. La foto de Chloe en la azotea quizá sea más honesta que el resto de los retratos que le hice ese día. Me permití dar un paso atrás y usar una cámara que nunca utilizo. Creo que solo la empleé en esa ocasión y salió esta foto. Tiempo después me deshice de la cámara porque nunca la necesitaba. Cuando viajo acostumbro llevar seis o siete formatos distintos, tengo una base a partir de la cual disparo, pero nunca sé qué cámara usaré.»

David Bowie, estrella del rock
«Las fotos de Bowie son muy mías. Lo he fotografiado en unas quince ocasiones, y supongo que estas siempre las he considerado anti-Bowie. Creo que son geniales y a él también le gustaron, pero reflejan que estoy obsesionado con la pintura de Francis Bacon, quien distorsionaba la belleza y lo que todo el mundo consideraba hermoso. Bowie es un icono musical, del que he decidido eliminar la belleza y mostrar solo la distorsión.»

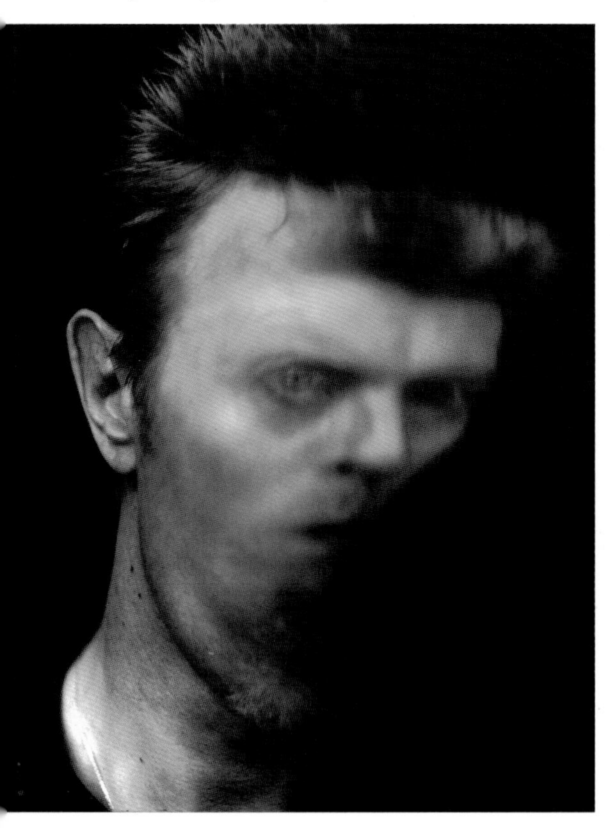

Natalie Portman, actriz
«La estábamos fotografiando y el estilista se acercó, se inclinó sobre ella y proyectó esa sombra en su cara. Era el momento justo, y pedí al estilista que no se moviera; después estuve charlando con Natalie, y el estilista se sentó a mi lado. Estábamos a las afueras de Boston, junto al mar. Natalie estaba tumbada sobre la hierba y se produjo un momento agradable.
Es gracioso que la foto parezca tan íntima, porque estábamos en una gran extensión y había unas diez personas alrededor, pero supongo que se creó un momento agradable.»

Ockenfels probablemente enfoca su carrera de manera diferente a los demás fotógrafos, ya que opina que le ha costado mucho consolidarla. «Supongo que no tengo ni la mitad del dinero ni el estatus que la mayoría de mis contemporáneos. Disfruto siendo fotógrafo y elegí el camino largo porque realmente quería aprender... Quizá aún no sé ni la mitad de lo que se supone que debo saber de la vida.»

Cada día hace borrón y cuenta nueva. «Cuando miro las cámaras y escojo las que me llevaré ese día a la calle para ir a ver a alguien y encontrar ese momento especial, me siento rejuvenecer.» Llamó a su compañía Purge («purga, depuración») por ese mismo motivo. «Cuando encontré la definición en el diccionario: comenzar de nuevo, quedar libre de pecado, me pareció perfecta.»

Hombre lúcido, adora dar con la iluminación perfecta. «Trato de encontrar la luz del momento. Un punto de luz que rebota en un edificio acristalado de Nueva York o un

Benjamin Bratt, actor
«Me gusta la intensidad de esta foto de Benjamin Bratt. La mano gigantesca. Y me gustan las fotos eternas, como la de Conrad Mohammed.» *(p. sig.)*

Lance Armstrong, ciclista
«Es como un retrato olímpico en blanco y negro de una cara aria, hermosa y fuerte, mirando hacia la lejanía... Pero cuando te das cuenta de que es actual, percibes la intensidad y la belleza. Aproveché el momento, estábamos ante su casa de Santa Bárbara y la luz procedía del tejado, así que usé la casa de fondo en vez del cielo. Fue una de esas cosas que simplemente pasan... Se produjo el destello y disparé doce fotos de 4x5, pero el destello solo apareció en una de ellas y nada se había movido. Asombroso. Fue uno de esos accidentes felices que tanto me gustan.»

rayo luminoso que no se sabe exactamente de dónde procede, y durante un momento te está permitido usarlo, tenerlo. Otras veces dejas caer la tarjeta de plata al suelo y la luz rebota en ella y ahí está la foto. Los accidentes felices son lo que más me gusta del mundo. Cuanto mayor sea el error, mayor el accidente, supongo.»

Su capacidad para aceptar y trabajar con lo que provea el momento le hace continuar avanzando y aprendiendo. «Los que tienen a su disposición grandes decorados y complejos montajes tienen más poder, pero nunca he pretendido hacer fotos así.»

Quizá el aspecto más profundo de Ockenfels radica en su capacidad para permitirse cambiar constantemente. «Me gusta reinventar y probar cosas diferentes. Querría mantenerme siempre lo bastante lúcido para reconocer que no sé nada, que aún puedo aprender muchísimo.» Quizá ello explique por qué disfruta tanto enseñando fotografía. «No hay nada mejor que dar clases y constatar que los alumnos te entienden.»

«Siempre miro a los ojos de la gente, y en mi trabajo suele ser común que pase algo en la mirada. Puedes observar una hoja de contactos una y otra vez, y la persona está mirando a la cámara del mismo modo en todas las fotos, pero siempre hay una en la que te clava la mirada.»

Ockenfels aprecia mucho quince minutos sinceros. «A veces puedes fotografiar a alguien y pasar con él una hora y descubrir que ha estado ausente. Si alguien me concede quince minutos de su tiempo siempre lograré la foto que necesito. Lo sé.»

«Paul Auster afirma: "Como uno de mis antiguos colaboradores solía decir: Me quedo sin una definición adecuada de la realidad". Y yo digo que, si no estás seguro de algo, si tu mente aún está abierta a cuestionar lo que ves, tiendes a observar el mundo con atención y de ese modo puedes llegar a ver algo que nadie haya visto antes. Debes estar dispuesto a admitir que no tienes todas las respuestas porque, de lo contrario, nunca tendrás nada importante que decir.»

McCauley Culkin, actor *(izq.)* «Me gusta esta fotografía... Fue un momento divertido. Él estaba de pie fumando y me miraba y miraba hacia el infinito..., y la estilista, que se llama Mary, dijo: "Mi camiseta le quedaría perfecta para la foto", así que se quitó la camiseta y se la entregó. En la camiseta pone Kiss ["beso"] y McCauley tiene unos labios increíbles..., también los ojos. Además en la foto se unen el momento aniñado, en la parte superior, y el momento adulto, en la inferior, pues él sujeta el cigarrillo con la naturalidad de una persona mayor. La foto muestra muchos niveles de la persona que McCauley era entonces sin resultar forzada.»

Vincent Gallo, actor y director
«Me encanta esta foto porque tiene mucha intensidad y Vincent sale tal cual es. De hecho, cuando la vio comentó: "Probablemente sea la foto más honesta que me han sacado", porque no está maquillado, no hubo estilismo, simplemente llevaba una camiseta. En ese momento te limitas a atravesarlo con la mirada y a observarlo todo. Es vulnerable, pero a la vez casi demasiado intenso para su propio bien y, además, la idea que la revista quería para la portada debía ilustrar la palabra *aire*, así que para mí es un resumen completo de todos esos factores.»

Conrad Mohammed, ministro de hip-hop
«Esta foto la hice en 1999 o 2000, pero parece de la época de Malcolm X. Conrad era el siguiente en la lista para asumir el liderazgo de la nación del islam, pero se acercó demasiado a los jóvenes raperos y dejó la nación por el camino. Fue un encargo para *Esquire*, una buena sesión en la que disfruté. Resultó sencillo gracias a su comportamiento y lo que hacía.»

Martin Parr

Martin Parr nació en Surrey, Inglaterra, en 1952. Su abuelo, George Parr, fomentó su afición por la fotografía. «Mi abuelo era fotógrafo aficionado, así que el gusanillo me viene de él. Mi padre era un empedernido observador de aves y de él proviene mi gen obsesivo. Debes ser obsesivo para encontrar tu pasión y lograr que la fotografía funcione.»

Nunca ha considerado dedicarse a otra cosa desde que tenía dieciséis años. Entre sus primeras influencias figuran la revista *Creative Camera* y las imágenes de su abuelo. «En líneas generales resultaban pictóricas, pero también atractivas, y además en aquella época yo no estaba tan en contra de lo pictórico como ahora.»

Desde sus tiempos de estudiante en la Manchester Polytechnic se ha ganado una reputación internacional gracias a su imaginería innovadora, su enfoque oblicuo del documental social y el impacto que ha producido en la cultura fotográfica mundial. En 1994 pasó a ser miembro permanente de Magnum. Durante los últimos años ha desarrollado su interés por el cine y ha comenzado a fotografiar en contextos diferentes como la moda y la publicidad. En 2002, la Barbican Art Gallery de Londres y el National Museum inauguraron una amplia retrospectiva de su trabajo.

El último centro turístico
«Utilicé la misma técnica que con la foto de la reunión de Tupperware (véase p. 119), quizá con una película en color Kodak 400 ISO. Comencé usando Kodak pero dejaron de fabricar el tipo de película que me gustaba así que me pasé a Fuji. Son similares. También empleé la lente Mia Plowbell 55 mm gran angular. Estaba en el agua dando una vuelta y observando lo que ocurría en la orilla. Había estado charlando con esas personas, de modo que no necesité pedirles permiso para fotografiarlas.»

Ascot (hipódromo)
«Ah, sí, el teléfono frente al teléfono. La saqué en Ascot y no hay mucho más que decir. Se explica por sí misma. Obviamente es una especie de broma, un juego de palabras. Es una de esas imágenes que surgen un instante y tienes que aprovecharlo. Ascot es un lugar muy interesante para fotografiar a gente. Era el día de las señoras, y estaba lleno de sombreros y teléfonos. En aquella época trabajaba en mi proyecto sobre Inglaterra; exploraba mis sentimientos acerca de Inglaterra a través de la fotografía. Hice esta foto con una Nikon con flash circular. Quizá fue la SB 28 o 29 con una lente macro de 60 mm y película Agfa Ultra (608) a 50 ISO.»

Martin Parr

Parr considera que los retratos suponen solo el cinco por ciento de su obra. «Un retrato es algo que organizas. De lo contrario, no es más que una foto documental que incluye a personas. En ocasiones pido permiso porque fotografía desde muy cerca. En otras ocasiones, no.»

De entre sus muchas cualidades, lo que más llama la atención tanto de su persona como de su arte es la sinceridad y la capacidad de disfrutar con el trabajo. Las raras ocasiones en que sabe que en una fotografía está pasando algo lo hacen feliz. «Es estupendo cuando sabes que vas a alguna parte; aunque no suele ocurrir.» Por otro lado, cree que como fotógrafo se ha hecho un nombre por haber creado un estilo, y es lo bastante humilde para reconocer que lo contratan para que lo reproduzca. Considera que este es su punto débil, aunque inevitable. «Básicamente estás copiando lo que ya se ha hecho antes. Pero con fines comerciales no queda más remedio. Otra manera de decirlo sería admitir que no soy demasiado atrevido.»

Parr considera que él no es la persona adecuada para hablar de hasta qué punto ha resultado influyente. «No debo ser yo quien diga nada acerca de mis cualidades. Trato de ser humilde. Me interesa más hacer el próximo trabajo que congratularme por el anterior, o incluso por el de mis compañeros. Supongo que el único logro en el arte consiste en que te paguen por tu trabajo. Me siento muy privilegiado de encontrarme en esa situación.»

Entre los artistas a los que admira figuran Gary Winegrand, Fenway Jones, Chris Killip, Robert Frank y William Eggleston, y la cualidad que más le gusta en la gente que fotografía es la energía. «Una foto posee su propio lenguaje, tiene habilidad para comunicarse, y eso resulta mágico. Cuando funciona es entrañable, extraño, raro y ambiguo.»

West Bay, Inglaterra, 1996
West Bay es un pequeño pueblo costero de Dorset. La serie a la que pertenece abarca desde los suburbios hasta el mar. Pese a que documenta un pueblo, resulta representativa de muchos lugares de la costa británica.

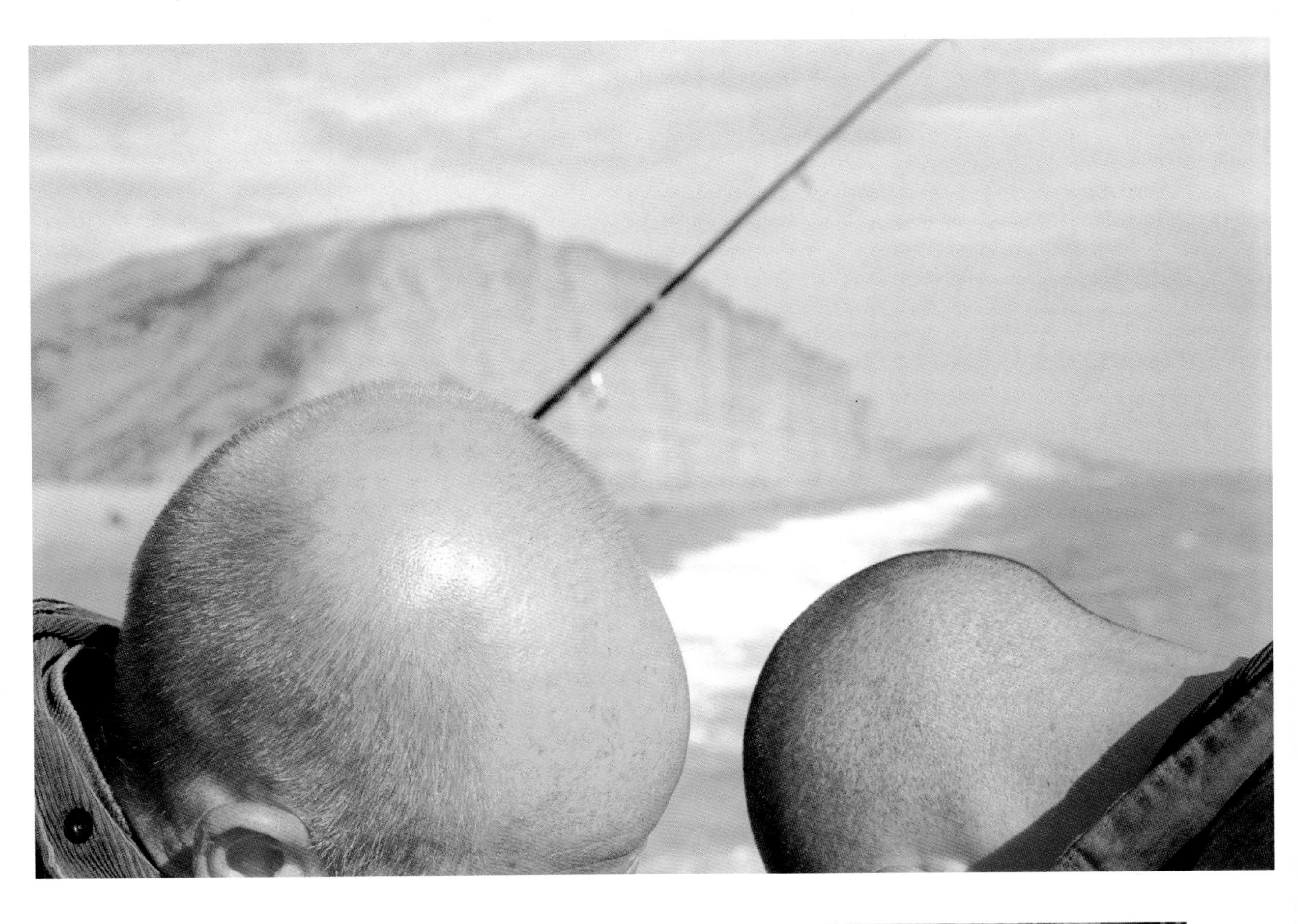

Reunión de Tupperware
«La tomé a mediados de la década de 1980 mientras hacía un proyecto sobre las compras y el consumismo. En aquella época se me ocurrió que los fotógrafos no habían explorado este campo, así como tampoco la venta puerta a puerta. Pensé en las reuniones de Tupperware. Al final, aunque costó, me dieron permiso para asistir a una. Este fue el momento preciso. Es un instinto. Esperas que todo tenga el aspecto adecuado y correcto. Usé un gran angular Mia Plowbell de 55 mm con película en color Fuji 400 ISO y un flash Norman. En aquella época solía usar principalmente 6x7 y siempre la misma película en color. Los flashes Norman son bastante buenos; tienen bastante brillo y puedes hacerlos rebotar en el techo.»

Florida, Estados Unidos, 1998
Perteneciente a *Sentido común*.

Nigel Parry

Nigel Parry comenzó su carrera fotográfica en 1989 con una exposición de cincuenta retratos de miembros del Groucho Club londinense. En 1994 se mudó a Nueva York para dedicarse al campo editorial y publicitario. Desde entonces ha trabajado para las más prestigiosas revistas, entre las que se incluyen *W, Vanity Fair, The New York Times Magazine, GQ, Esquire, Premier, In Style, Newsweek, Time, The Sunday Times* y *Amica* (Italia). También ha tenido el privilegio de fotografiar a las figuras políticas más importantes de nuestro tiempo además de a numerosos famosos.

La maestría de Parry está presente en la publicidad más influyente, la música y las compañías cinematográficas de todo el mundo, y ha trabajado para Pepsi, IBM, Mercedes, BMW, Miramax, Twentieth Century Fox y Warner Bros.

Sus obras se han expuesto por todo el mundo, y entre sus exposiciones figura una junto a David Bailey en el National Museum of Film & Photography en el Reino Unido y una importante muestra en Perpiñán, Francia. En 1999 tuvo el honor de ser el primer retratista invitado a exponer en el prestigioso festival de cine de Cannes. Parry también ha recibido diversos premios. Entre estos figuran el Hasselblad Master Photographer 2004, el Photo District News Award por su campaña de 2003 para BMW y diversos premios fotográficos estadounidenses.

Su primer libro, *Sharp*, publicado en 2002, está disponible en librerías de todo el mundo, y Parry actualmente trabaja en su segundo libro, *Precious*. Además, apoya a diversas organizaciones como Starlight Foundation y Operation Smile. En otoño de 2003 fotografió a niños en zonas remotas de China para Operation Smile.

Parry se aficionó a la fotografía de adolescente. Solo fotografiaba paisajes en color hasta que se compró otra cámara que aceptaba película en blanco y negro. «Y entonces, de repente, casi de un día para otro, dejaron de interesarme los paisajes en color. Empecé a fotografiar a personas. Al principio desde lejos, luego fui acercándome progresivamente. Solía fotografiar a gente que vagaba por las calles y supongo que eso despertó en mí cierto deseo. Pasado el tiempo, me aburrí. Para mí era como robar fotografías.»

Se percató entonces de que no continuaría haciendo ese tipo de fotos. «Empecé a sacar fotos cuando la gente sabía que la estaba fotografiando y eso me llevó a los retratos. Realmente deseaba retratar.»

Al principio, compaginó el retrato con el trabajo de diseñador fotografiando, por ejemplo, a los autores. Tras cierto tiempo, reunió suficientes fotografías para mostrarlas a alguien que supiera del tema y pudiera decirle si tenían potencial. «Aún era diseñador gráfico y llevé la caja en la que guardaba mis fotos. Me sugirieron que fotografiase a los miembros de un club muy exclusivo, el Groucho Club de Londres. Expusieron mi trabajo, hicieron una fiesta y fotografié a gran parte de sus miembros. Así que al final tuve una caja de personas bastante conocidas e influyentes en el mundo de los medios de comunicación. Llevé la caja a diversas revistas y, aproximadamente una semana después de la exposición, *The Sunday Times* llamó y preguntó si haría fotos para ellos.»

Gwyneth Paltrow, actriz
«Hice esta fotografía a f11, con un macro de 150. Gwyneth estuvo encantadora y se mostró muy profesional. Resultó bastante natural.»

Richard Harris, actor
«Usé una Hasselblad C-X con una lente macro de 120 y f16 y un pequeño filtro soft spot. Tomé esta foto de Richard Harris en la parte trasera de un teatro de Guildford, Inglaterra. Fui en motocicleta y llovió durante todo el camino. Solo tenía un foco porque los demás, que llevaba en mi mochila, se habían mojado.»

Fue un momento muy importante en su carrera. «No tenía nada que perder y todo que ganar. Me gasté todo el dinero que tenía en película y cosas así porque en aquella época aún era un diseñador modesto. Si aquello no salía bien, nos quedaríamos sin ahorros, aunque al menos, por suerte, tenía un empleo al que regresar.»

La apuesta salió extremadamente bien, y Parry prueba continuamente que sigue dispuesto a arriesgarse. «Si alguien me dice que no se puede atrapar medio segundo, entonces lo hago. Si alguien me dice que no debería hacer algo, lo hago de inmediato. No sé por qué soy así. Fui un muchacho modélico y ahora está saliendo mi adolescente rebelde. Quizá mentalmente sea un adolescente. Creo que todos los hombres continúan siéndolo, simplemente envejecen por fuera.»

Esa rebeldía supone un gran activo cuando intenta lograr el retrato perfecto. «El momento en que he hecho una foto y me doy cuenta de que es única, de que nadie la ha hecho antes y no podré hacerla de nuevo, es mi momento favorito.»

«Mi momento de felicidad perfecta es cuando estoy trabajando y descubro que he contenido el aliento porque algo especial ha sucedido. Lo llamo "inspiración profunda de aire". Últimamente no me ocurre con mucha frecuencia. Quizá haya aumentado mi nivel de exigencia, o puede que haya habido momentos similares en el pasado y ya no me sorprenda, no lo sé.»

A Parry le encantan el cine y las galerías de arte para inspirarse. «Se me ocurren muchas ideas a partir de películas y de exposiciones de cuadros, más incluso que de exposiciones fotográficas. Sin ser consciente, copio cosas que he visto, y es algo que trato de evitar. Si estoy fotografiando y me dicen: "Te enviaremos fotos del modelo para que tengas una idea de cómo es", siempre contesto: "No, gracias". Acabaría copiándolas.»

Podría decirse que la habilidad de Parry para la composición hace que sus retratos resulten característicos y atrevidos. Le sorprende que la mayoría de la gente considere que su archivo está formado por fotos «de viejos arrugados en estricto blanco y negro». «Me encantaría fotografiar a mujeres, pero rara vez me lo piden porque todos piensan que solo hago retratos duros en blanco y negro, y no es cierto. También me gustaría fotografiar a Sean Penn. Y a Robert Redford y a Clint Eastwood.»

Arnold Schwarzenegger, actor y político
«Luz natural con una lente de 80 mm. Justo antes de hacer la foto, Arnold me dijo: "¿Estás seguro de que salgo entero? Porque parece que me estés cortando por la mitad". Le contesté: "Tranquilo, estoy haciendo un encuadre arriesgado".»

Johnny Depp, actor
«Luz natural a través de una ventana en París, alrededor de f8'5, 120 mm. Justo antes Johnny había salido al bordillo de escasos centímetros del balcón sobre una altura de treinta metros... Es un hombre muy, muy agradable.»

Condoleezza Rice, política
«Usé Pro photo light y un macro de 120 a f11'5. Lo único destacable de esta foto es que Rice lucía unos zapatos increíbles y le hice un cumplido.»

Rankin

Rankin ha obtenido reconocimiento como fotógrafo, editor y, recientemente, director de vídeos musicales, pero quizá resulte más conocido por obstinarse en ser él mismo: infantil, nervioso, feliz y, ante todo, divertidísimo. Junto a Jefferson Hack creó la revista *Dazed & Confused* en 1991 mientras estudiaba en el London College of Printing. Querían crear una revista diferente, una publicación que diese a conocer ideas y talentos por descubrir mientras exploraban nuevas maneras de enfocar tanto el diseño como el contenido. Usaban portadas con personas discapacitadas, mujeres obesas, modelos atiborrándose de chocolate y fotos de manos de estilistas y ayudantes, entre otro tipo de imágenes, por eso *Dazed & Confused* produjo un impacto profundo en el mundo de la moda.

Rankin se crió en una familia obrera inglesa, e hizo que sus padres se sintieran orgullosos de él al ingresar en la universidad. Allí se dio cuenta de que podía hacer lo que le viniese en gana. «Nunca pensé que tuviese talento para nada. ¡Hasta que fui a la universidad no descubrí que la gente que hacía lo que yo quería hacer no lo hacía mejor que yo!» Así que decidió convertirse en retratista. «Porque no se me ocurrió otra cosa y era incapaz de dibujar y, sobre todo, no quería ser contable... Además me gusta conocer a gente, y la fotografía me permite hacerlo mientras me dedico a algo creativo.»

Sacó su primera foto a los veinte años, un recuerdo imborrable para él. «Hice una foto de una niña desnuda junto a una piscina. Supongo que fue mi primer desnudo. Quedó muy bien y todo el proceso me cautivó. ¡Soy muy nervioso!» Este hecho señaló el comienzo de una carrera que acabaría convirtiéndolo en uno de los fotógrafos más destacados de Inglaterra. En 2003 publicó junto con el ilustre fotógrafo británico David Bailey una edición limitada del libro *Bailey+Rankin 2003*.

Al contrario que otros fotógrafos que logran el éxito y el reconocimiento por su estilo, Rankin se ha esforzado en no adquirir un estilo identificable y en desconcertar al observador continuamente. «Nunca me he limitado a un estilo visual. Mi trabajo resulta variado, y en ocasiones resulto imprevisible. Todas mis fotos son diferentes. Trato de que lo sean.»

Cuando se le pregunta por los fotógrafos que le inspiran, Rankin duda. «Hay tantos que no podría enumerarlos. ¡Dan para un libro! Me encanta la fotografía, compro y colecciono fotos y voy a exposiciones a menudo.» Sin embargo, si se le presiona, admite que al que más admira es a David Bailey. «Porque me trata muy bien. En cierta ocasión cogió una foto mía y tras mirarla dijo: "Eres bueno, ¿eh?". Yo le contesté: "Quizá dentro de veinticinco años sea tan bueno como tú" Bailey replicó: "Chaval, si no lo tienes ahora, no lo tendrás nunca". Lo cual me hizo mucha gracia. Siempre me llama "chaval". Es como mi padre fotográfico, aunque lo considero más como un hermano mayor porque su alma es joven.»

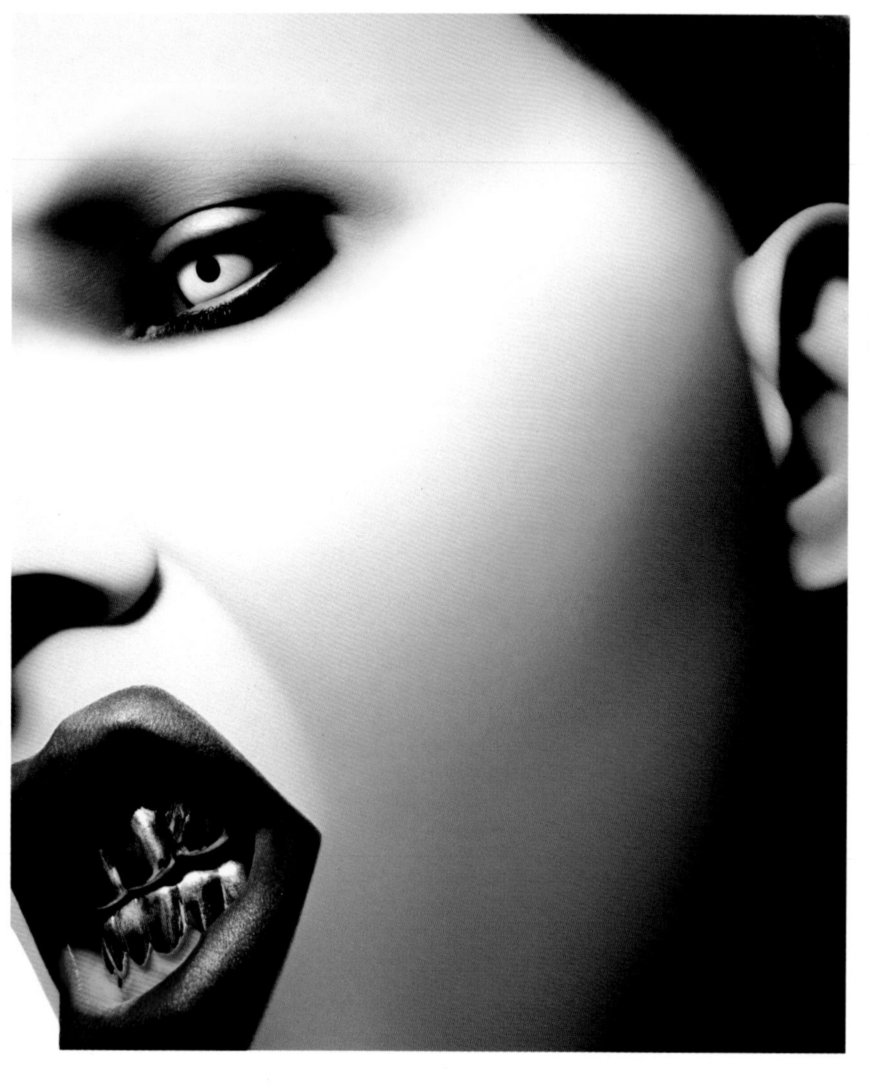

Marilyn Manson, músico
«Manson también es fotógrafo. Lo gracioso es que la gente le llama Manson, no Marilyn. Es absolutamente distinto a lo que te esperas. Lleva un montón de maquillaje y parece muy freaky, pero en realidad es sensato, racional en cierto modo, aunque a la vez muy rock and roll. Hay poca gente que sea tan abiertamente rock and roll como él, no como un cliché, sino más al estilo "la gran vida". Esta foto está retocada y en realidad parece más un cuadro. Quise hacerlo de ese modo porque nadie había llevado tan lejos su imagen anteriormente. Quise forzarla al límite.»

Madonna, cantante y actriz
«Tomé esta fotografía para el disco *Ray of Light*. Nos estábamos llevando muy bien; Madonna es muy graciosa, y me pidió que la hiciera reír y obedecí. Lo que pasa con Madonna es que crees que se mostrará seria pero está relajada todo el tiempo, constantemente. Primero hace que te sientas cómodo, luego incómodo, luego cómodo... Pensé que esta sería una gran foto. Le pedí que me enseñara los puños. Hicimos muchas fotos hermosas, pero de toda la sesión esta es la que mejor la representa.»

Rankin sabe que tiene el mejor trabajo del mundo. «Es casi como un mapa de tu vida, un diario. Pasas un momento con gente que, nueve de cada diez veces, es excepcional. Eso también resulta muy interesante y me encanta.» Sus encargos favoritos son con modelos a los que considera «excepcionales», pero le gustaría «fotografiar a todas las personas del mundo al menos una vez». En su lista de personas que querría fotografiar figuran Johnny Depp y Sean Penn, por ejemplo. «Ahora he comenzado a dirigir y me emociona la idea de trabajar con gente de talento.»

A medida que va madurando en su carrera, admite que una de sus debilidades ha sido no haber planificado las cosas. «Cuanto mayor soy, más planeo el trabajo y más satisfecho quedo con los resultados. Cuanto más mejoro a la hora de delegar y de trabajar en equipo, más puedo planear por adelantado, y mis colaboradores también.» Admite que se muestra ansioso por satisfacer a los demás. «Me emociono en exceso, y a veces acepto demasiados encargos y no los trabajo a fondo. En ocasiones algunas personas se han aprovechado de eso.»

David Bowie, estrella de rock
«Esta fotografía es muy hortera. Le había hecho una broma acerca de sus dientes y le dije: "Venga, ¡enséñame los dientes!". Abrió la boca y me sorprendió ver tantos dientes nuevos. Era como bañarse en una piscina radiante. La personalidad de David te envuelve. Fue un momento algo extraño, porque no esperaba que él fuera así.»

Jude Law, actor
«Tomé esta foto en Nueva York hace muchos años. Conocí a Jude mientras él interpretaba obras de teatro off-Broadway. De hecho lo conocí cuando tenía veinte o veintiún años, justo cuando yo empezaba en la fotografía. Era amigo de mi novia de aquella época. Jude siempre resulta increíble y es muy apuesto, así que lo fotografié. Creo que fue al final de un día muy divertido en el que se nos ocurrió sacar unas fotos. Era un día soleado y estuvimos dando vueltas, y al acabar fuimos a comprarnos unas zapatillas de deporte.»

Bono, músico
«Lo más interesante que puedo decir de Bono es que es la persona más amable que he conocido en toda mi vida, la más encantadora, la más generosa. Si no pudiese volver a fotografiarlo me entristecería. Me inspira cosas que no habría hecho de no ser por él. Esta es una foto de prensa de hace unos seis o siete años mientras estaba de gira. Se suponía que la sesión debía durar cinco horas, pero Bono se quedó hasta pasadas las nueve de la noche. Estaba bostezando y no creo que estuviese concentrado mientras le hacía la foto. Fue una foto entre disparos, que siempre son las mejores.»

Robbie Williams, músico
«Cuando hice esta divertida foto, en la que Robbie está caminado con los pantalones caídos sobre el agua, había alcanzado un punto en su carrera en el que nada podía salirle mal. Solía citar a los Beatles diciendo "casi soy más famoso que Jesús", y en cierto modo fue genial. Queríamos tomar el pelo a quienes lo consideran una superestrella. Eso es lo que hace genial a Robbie, tiene un gran sentido del humor.»

Adicto confeso al trabajo, Rankin considera que su ética laboral es su segunda mejor cualidad. «Trabajo todo el tiempo, tanto que algunos lo consideran un defecto, mi gran defecto. Si tengo el día libre me pongo nervioso, no puedo soportarlo.» Su mayor cualidad es no tomarse «demasiado en serio». Una cualidad que valora en sus modelos: «Me gusta el sentido del humor y la gente que se ríe de sí misma, que no se preocupa demasiado por su persona. No quiero que nadie se estrese mientras lo fotografío; quiero que posar resulte divertido, aunque en verdad hay poca gente que diga: "¡Dios! Me encantó la sesión, disfruté como un enano".»

Pese a que Rankin recurre al formato digital ocasionalmente, aún le fascina el método tradicional. «Ha acabado gustándome la fotografía digital a la fuerza, pero me encanta el momento en que te entregan las impresiones o los contactos en un paquete, lo abres y reaccionas en plan "aaah". Es el momento perfecto. También me gusta cuando me envían los libros y los miro y pienso: "Lo he hecho yo". Me ponen algo nostálgico porque nunca acabo de creerme que era yo el que estaba en la sesión.»

Rankin tiene un hijo de diez años, que es su mayor logro y, al parecer, un guitarrista del rock en ciernes. Actualmente está considerando trasladarse con él a Los Ángeles; asegura que le encantan las palmeras y que, además, necesita un cambio.

Reina Isabel
«Fue un encargo "real", de hecho trabajé para ella. Solo me concedió cinco minutos. Quería retocar la foto para hacer algo similar a lo que hice con Manson, pero no lo he hecho. Conozco una buena anécdota sobre la reina. Cuando David Bailey la conoció, ella le dijo: "Mi cuñado es fotógrafo, ¿sabe usted?". Y Bailey contestó: "Qué curioso... Mi cuñada es reina". No sé si la historia es cierta, pero es buena. La reina tiene un gran sentido del humor, de modo que si ocurrió, probablemente le pareció divertido.»

Steve Shaw

Shaw comenzó a interesarse por la fotografía a los catorce años de edad al recibir clases en su colegio de Manchester, Inglaterra. Recuerda claramente cuál fue su primera fotografía. «Era de unas hojas heladas; había escarcha sobre las hojas. Me parece que también fue la primera vez que revelé unas fotos.» Prefería el aspecto técnico del proceso, el trabajo de laboratorio y el revelado. «Me gustaba la ciencia y la química, y supongo que me resultó fascinante ver las fotos aparecer en el cuarto oscuro durante el revelado.»

Cuando comenzó a trabajar fotografiaba coches, ropa de cama y toda clase de productos. «¡Fotografiaba todo aquello que no me llevara la contraria!» Posteriormente comenzó a trabajar en un barco por el Caribe y realizó 17.000 retratos por crucero. «Fue un infierno, aunque resultó muy divertido. Pensé que sería una buena manera de ver mundo, pero el trabajo era una locura. Algunas noches hacíamos fotos a los pasajeros después de cenar. Supongo que me proporcionó cierta confianza para hablar con gente porque la mayor parte del pasaje no quería ser fotografiada. Se me daba bien.» Posteriormente, Shaw y algunos amigos condujeron de Miami a Los Ángeles, donde encontró trabajo en un Glamour Shots, una franquicia de estudios dedicados al retrato situados en centros comerciales de Estados Unidos. «Un día entró un tipo que quería que lo maquillasen como a una mujer y esa fue la gota que colmó el vaso.» Shaw dejó el trabajo.

Poco después encontró otra ocupación en un laboratorio de Los Ángeles. «Veía las fotografías que debía imprimir y pensaba: "¿Qué estoy haciendo imprimiendo estas fotos? Debería estar haciéndolas yo".» Decidió entonces mostrar su obra a agencias fotográficas y de modelos, y su carrera en el mundo de la moda y los famosos no tardó en comenzar. Sin embargo, nunca se propuso convertirse en retratista. «Supongo que fue una casualidad.»

Pese a que le encanta la fotografía, hay aspectos del retrato de celebridades que le disgustan. «Hay que tratar con cierta gente..., publicistas y otras personas que tratan de controlar lo que haces. Actualmente parece que todo está relacionado con el dinero y con la protección de la imagen del famoso. Hace diez años prácticamente podías hacer lo que te diese la gana, pero en la actualidad hay demasiada gente alrededor de los famosos tratando de proteger su imagen.» Con todo, a Shaw le encanta su profesión. «No lo considero un trabajo. A veces me quejo y tengo que pellizcarme para recordar que me gano la vida fotografiando a chicas en biquini. Me pagan por hacerlo, y cierto es que lo haría gratis.»

Shaw es un hombre afable que está constantemente rodeado de mujeres hermosas y celebridades, pero no resulta nada pretencioso. «Crecí en Manchester y a la gente de allí no le impresiona nada ni nadie. En Los Ángeles estoy rodeado de famosos y no me impresiona. Cuando fotografío a alguien, la mitad de las veces ni siquiera sé quién es. Sin embargo, alguna vez reconozco a alguien y eso me pone un poco nervioso.»

El mejor momento para Shaw llega cuando sabe que tiene la foto, independientemente de quién sea el modelo. «Ese es el mejor momento para mí. Puedo ver en la cara de quienes me rodean que también ellos creen que esa es la foto, la foto buena... Me hace feliz.»

Mena Suvari, actriz
«Esta es una de mis fotos favoritas; Mena es histriónica ante la cámara. La hice en Smashbox Studios, Los Ángeles. Está iluminada desde arriba con reflectores para que la luz rebote hacia dentro.»

Charlize Theron, actriz
«¡Es la sesión que más rápido he hecho en toda mi vida! La hicimos en Paramour Estate en Silverlake. Charlize tenía prisa y debía volar a Nueva York esa misma tarde. Hicimos una portada y cuatro páginas en tres horas, incluyendo peluquería y maquillaje. Estaba fantástica ante la cámara; muy profesional y sorprendentemente bella.»

Steve Shaw

Rayo de luz
«Esta la hicimos en una playa gélida en Malibú. La modelo es Brighdie Grounds, una auténtica profesional. Era para la revista *Detour*. Tuvimos que hacer ocho fotos en dos horas. Disparé con luz natural de relleno y luz estroboscópica en película Kodak VC.»

Kylie Minogue, estrella del pop *(der.)*
«Mi modelo favorita de todos los tiempos. Es increíblemente hermosa y muy profesional. Es menuda pero está perfectamente proporcionada. La foto forma parte de una sesión para su compañía discográfica y para la portada de una revista que se ha usado en todo el mundo. Nunca me canso de estas fotos. Kylie sabe exactamente lo que quiere, pero siempre está abierta a probar cosas nuevas. La sesión tuvo lugar en mi estudio de Londres, con flujos Keno.»

Estella Warren *(p. sig., der.)*
«Hicimos esta foto para la revista *Movieline* en un club nocturno entre Hollywood y Highland, una localización horrenda a la que sacamos un buen partido. Estella es una gran profesional, además solía trabajar de modelo y sabe exactamente lo que debe hacer. Está iluminada con flujos Keno y HMI.»

Shaw está disfrutando de la transición hacia la tecnología digital, pero le parece más laboriosa que el procesado de película. «La película la envías al laboratorio, la procesan, te envían la hoja de contactos, escoges las que te gustan y se las mandas al cliente. En el entorno digital debes volcarlo todo, procesarlo y grabarlo en un disco. Me involucro más. Edito en pantalla mientras trabajo y no puedo dejar que lo hagan otros. Pero la calidad y la comodidad del formato digital es asombrosa.»

Las fotografías de Shaw resultan sensuales, impactantes, hermosas e intemporales. Se inspira en Helmut Newton y en Richard Avedon. «También me gusta el trabajo de Mert Atlas y de Marcus Pigott. Hacen campañas para Louis Vuitton y Sony, y colgaría en la pared cualquiera de sus fotos. Son fotos modernas, pero preciosas. Nunca podría tirar una revista en la que apareciesen fotos suyas. Supongo que al final se trata de eso, de hacer fotografías que no acaben en la basura.»

De entre todas las cualidades que aprecia en sus modelos la que más valora es la inteligencia. «La inteligencia no puede ocultarse; se nota.» Por supuesto, la mayoría de las veces se encuentra con el reto que supone fotografiar a actores. «En ocasiones es complicado porque tratas con alguien que está tan acostumbrado a las cámaras y se mueve tan libremente que has de pedirle que se esté quieto, que te mire y exprese cierta emoción. Para ellos resulta extraño. Kevin Spacey, por ejemplo, siempre sale fantástico. Lo capta al instante; además es un tipo listo y se nota. Lo exterioriza. Es muy animado y tiene una gran personalidad.»

Shaw tiene fama de ser un fotógrafo con el que resulta fácil trabajar, y se lo reconoce por su capacidad para extraer el lado sensual de las personas a quienes fotografía. Su modesto encanto lo lleva a obtener los encargos que más le gustan, y considera un gran logro que le paguen por lo que hace. «Trabajo para *Playboy* y *FHM*, y pagan bien. ¡Lo haría gratis!»

Lord Snowdon

Anthony Armstrong-Jones nació en Londres en 1930 y se convirtió en conde de Snowdon al casarse con la princesa Margaret en 1960. Mientras estudiaba arquitectura en Cambridge, su tío, el afamado escenógrafo y artista Oliver Messel, lo animó a que retratase a la gente del teatro.

Durante más de cincuenta años Lord Snowdon ha fotografiado a gran parte de las mayores personalidades del mundo para publicaciones punteras como *Vogue*, *Vanity Fair* y *Telegraph Magazine*, entre otras. También ha elaborado un impresionante archivo de fotografía documental que expresa su pasión por diversas causas humanitarias.

Mientras trabajaba en su faceta de retratista se alejó conscientemente de la viciada tradición del retrato de moda y teatral. Prefiere captar la faceta íntima del sujeto. «Debes despojarlos de las poses y los disfraces.» Obtuvo renombre al renovar el mundo del retrato formal con un estilo fresco y vivaz.

Durante la década de 1960 Snowdon documentó el desenfadado ambiente londinense con mayor profundidad que cualquier otro fotógrafo de la escena. «En los viejos tiempos, hice fotos terribles y efectistas, pero he tratado de simplificar. Actualmente no me importaría hacer una foto aburrida siempre que muestre algo sincero sobre el ser humano.»

Sus fotografiados proceden de diversos campos de las artes y la vida pública, y sorprenden por su sencillez y ocasional veta cómica. Snowdon ha fotografiado a bailarines, actores, políticos, pintores y estrellas del pop de todo el planeta, y *Vogue* lo considera «uno de los principales historiadores visuales de esta época».

Princesa Margarita
(p. sig.)
Presidenta del Royal Ballet, 1967.

Tony Blair
Primer ministro británico, 1997-2007. Revista *Vanity Fair*.

Lord Snowdon

Ha retratado a los actores más importantes del cine y el teatro, entre otros: Uma Thurman, Nigel Hawthorne, Peter Ustinov, Fiona Shaw, David Bowie, Jude Law, Greta Scacchi, Rachel Weiz y Tom Cruise. Snowdon también ha fotografiado a famosos directores, diseñadores y escritores como Alan Bennett, Arthur Miller, Harold Pinter y Alan Ayckbourn. También es el fotógrafo oficial de la reina Isabel II.

Snowdon considera pretencioso interpretar su trabajo como una forma de arte. «Lo importante es el sujeto.» Su visión resulta auténtica, pero no siempre amable y, a la vista de su obra, cuesta no considerarla arte. Su talento único se fundamenta en su capacidad para captar el carácter y la emotividad de cada uno de sus retratados y revelar el «momento interior» de cada uno de ellos. Snowdon se muestra empático y selectivo en su trabajo, ya se trate de personajes ricos y famosos o de niños angoleños afectados de poliomielitis. Lord Snowdon, que también sufrió la enfermedad, participó en una campaña con la intención de fotografiar a niños afectados y en recuperación que habían sido vacunados. «Espero que mis fotos ayuden a enviar un mensaje a los gobiernos y a los donantes particulares de todo el mundo.»

Aunque es más conocido por su fotografía de moda y sus retratos de sociedad, su franca visión de la vida desde otras perspectivas resulta honesta e invita a la reflexión. Cuando comenta su trabajo, recalca pensativo: «Para mí, el objetivo consiste en mover a la gente, hacerla pensar, pero nunca, jamás, a costa de la persona que estoy fotografiando. Se trata de reír con alguien, no de reírse de alguien». Quizá Snowdon, su filosofía y su obra puedan resumirse con sus propias palabras: «No sirve de nada decir "quieto" a un momento de la vida real».

Espectadores
Espectadores esforzándose por evitar la lluvia y echar un vistazo al desfile Trooping of the Color. En 1958 Tony Armstrong-Jones publicó un libro sencillamente titulado *London*. En la introducción comenta que trata sobre la capital británica, sus gentes y su estilo de vida. En su exhaustiva cobertura sobre Londres captó la vida local en Chelsea, Victoria, Portobello, Cable Street y Rotherhithe, entre otros lugares. Quiso que las fotos resultasen simples y respetuosas, y el éxito del libro radica en que congela una época muy especial de Londres y una visión cálida de sus gentes.

La reina y el príncipe Felipe con dos de sus hijos
Tomada en el jardín de Buckingham Palace, 1957.

Peter Cook *(ar. izq.)*
Escritor y humorista (1937-1995), Camden Town, para la edición estadounidense de *Vogue*. (*Vogue* / CAMERA PRESS, Londres)

John Hurt *(ar. der.)*
Actor (nacido en 1940) disfrazado de dama de comedia musical. *Vanity Fair*, 1995.

Peter Hall y Leslie Caron
Peter Hall lleva en brazos a Leslie Caron; cruzan el umbral tras su boda, 1956.

Marlene Dietrich
Actriz y cantante (1901-1992), Café de París, 1955, para la revista *Tatler*. (CAMERA PRESS, Londres)

Isabel Snyder

Nacida en Suiza, Snyder comenzó a dedicarse al arte siendo muy joven. Recuerda haber hecho su primera foto a los doce años de edad. «Iba en un carruaje tirado por unos caballos que volaban hacia el castillo al que nos dirigíamos y saqué una foto. Cuando la vi pensé: "¡Cómo mola!". En aquel momento me enamoré de la fotografía porque capta el espíritu. Soy incapaz de describirlo con palabras, pero puedo describir la foto. ¡Por eso me hice fotógrafa y no poetisa!»

Esa ansia por captar el espíritu la llevó a estudiar y graduarse en la escuela de arte de Zurich, y posteriormente comenzó a impartir clases de arte a eruditos y profesores. Su creciente curiosidad por el arte y el estilo la llevaron a profundizar en el mundo del teatro y el diseño. A finales de la década de 1970 se trasladó a Sudamérica, donde vivió dos años en comunidades pobres y aisladas. Fue allí donde comenzó a perfilar su sensibilidad visual. Hasta el día de hoy Snyder trata de captar «la naturaleza divina de cada individuo» a través de su lente.

Finalmente se estableció en Estados Unidos, primero en Nueva York, donde se labró una reputación en el mundo de la fotografía de moda. Posteriormente se trasladó a la costa Este, donde se dedica exclusivamente al retrato fotográfico y se ha convertido en una fotógrafa muy solicitada por multitud de músicos y personalidades del mundo teatral. Ha trabajado para las ediciones estadounidense, italiana y alemana de *Vogue*, las ediciones estadounidense, italiana y francesa de *Elle*, y para *Newsweek, Esquire* y *Rolling Stone*.

Su último libro, *Hollywood Portraits*, se compone de 39 retratos. En 2001, la quincuagésima cuarta edición del festival internacional de cine de Locarno, Suiza, organizó una exposición de su obra, titulada *Hollywood Portraits*. Recientemente ha trabajado en varios proyectos, incluidos un libro infantil y otro sobre el festival de jazz Blue Balls.

Snyder se dedica al retrato fotográfico porque le encanta la gente: «Me fascinan los seres humanos, y el retrato me permite conectar y estar con personas interesantes e inspiradoras. También creo que poseo una habilidad innata para conectar con la gente que me permite revelar algo acerca de las personas que retrato. Para mí, es lo más importante en un retratista».

Janice Dickinson, modelo
«Esta foto la hicimos en mi rancho de Calabasas en 1998. Acababa de divorciarme y estaba deprimida, pero llegó Janice y dijo: "Venga, Isabel, hagamos fotos. Tienes que dejar de pasarte el día sentada llorando. ¡Haré todo lo que quieras! Me sentaré desnuda sobre un burro... ¡Cualquier cosa!". Es la persona más divertida del mundo.»

Mamiya RZ 67 con Kodak TRIX a 200.

Denzel Washington, actor
«Hicimos esta fotografía en Culver City, entre la Quinta y Sunset Studios, en 2002. Denzel acababa de dirigir su primera gran película y charlamos acerca de cómo varía la perspectiva cuando se está detrás de la cámara en vez de delante. Su intensidad e inteligencia me conmovieron profundamente.»

Leelee Sobieski, actriz
«La tomé en la primavera de 2001 en Los Ángeles. Leelee acababa de participar en el rodaje de la miniserie Juana de Arco. Quise expresar el corto período en la vida de una mujer en que deja de ser una niña pero aún no es una mujer. Leelee atravesaba justamente esa fase.»

4x5 Cámara de campo Toyo con Kodak Portra 400 VC.

Pamela Anderson, actriz y modelo
«La hice en 2002 en mi rancho de Calabasas. Pamela es perfecta de la cabeza a los pies. Casi todo lo relacionado con ella es precioso, especialmente su piel. Representa la quintaesencia de la diosa rubia. Es una de mis fotografías favoritas.»

Mamiya RZ 67 con Kodak Portra 160 VC.

Otra de las razones por las que adora su trabajo es poder ejercer el control. «Soy totalmente independiente ¡y me encanta! Además, lo que más me gusta en la vida es salir al campo y disfrutar de la naturaleza, y la fotografía me permite hacerlo.» Es más, añade: «Soy feliz cuando me muestro creativa, lo cual significa no copiar nada ni a nadie. Cuando soy creativa noto físicamente cierta energía, y es entonces cuando soy verdaderamente feliz».

La lista de lo que le gustaría fotografiar es muy larga: «Me siento atraída por aquellas personas que son capaces de inspirarme, de potenciar mi libertad creativa; esas son las personas a las que quiero fotografiar». Cree que en Hollywood la libertad creativa se ha convertido en una «especie en extinción». «El proceso de antes, durante y después de la sesión, así como el de edición, están controlados por tantas personas que la libertad no tiene cabida.»

La obra de Sydner siempre resulta desenfadada y rezuma energía. Snyder considera que aporta mucho amor, lo que se manifiesta en su habilidad para captar un amplio abanico expresivo de cada sujeto. «La franqueza, la curiosidad y el desinterés» son las cualidades que busca. «Algunos se muestran muy abiertos ante el proceso creativo, están dispuestos a experimentar y son osados.»

Hugh Jackman, actor
«Fotografié a Hugh en Miauhaus en Los Ángeles en 2001. Acababa de terminar el rodaje de *X-Men*. Como nací y me crié en Suiza, los cómics de *X-Men* no formaron parte de mis lecturas de juventud. Supuse que el personaje de Lobezno debía de tener ojos felinos e hice que le pusieran unas lentillas. Aunque al final el publicista no aprobó la decisión, Hugh pareció disfrutar.»

Mamiya RZ 67.

Lisa Marie Presley, cantante
«La foto es de 2003, entre la Quinta y Sunset Studios en Culver City. Recuerdo que me sorprendió lo mucho que se parecía a su legendario padre cuando adoptó esa expresión. Sentí un escalofrío.»

Mamya RZ 67 en Kodak Portra 160 NC con luz natural diurna y flash de relleno.

Sally Soames

Sally Soames nació en Londres, donde todavía reside. Su primer encargo fue para *Observer* en 1963 y continuó trabajando por cuenta propia para *Observer, The Guardian, The New York Times, Newsweek, Sunday Times* y diversas compañías cinematográficas y cadenas de televisión. En 1968 se unió al equipo del *Sunday Times* como fotoperiodista, donde permaneció hasta junio de 2000.

Su trabajo se ha expuesto en el Jewish Museum de Nueva York, en la Photographer's Gallery de Londres, en 1987, y en la National Portrait Gallery de Londres, en 1995. La National Collection del Reino Unido y el Jewish Museum de Nueva York tienen sendas exposiciones permanentes de retratos de Sally Soames, y sus fotografías también figuran en varias colecciones particulares de todo el mundo.

Ha publicado dos libros: *Manpower*, en 1987, con una introducción de Harold Evans, y *Writers*, en 1995, con prólogo de Norman Mailer. Anteriormente trabajó como consultora externa y conferenciante en el London College of Printing y en el Royal College of Art.

Soames no duda acerca de por qué se convirtió en retratista. A medida que iba haciéndose mayor se dio cuenta de que el fotoperiodismo no estaba hecho para ella. «Pero descubrí que tenía talento para fotografiar a la gente y que disfrutaba haciéndolo. Veía el desarrollo de la fotografía en color y de las nuevas tecnologías desde la distancia, y quería perfeccionar mis fotos en blanco y negro, hacerlas tal y como yo quería.»

«El color es otro mundo. Rara vez puedes salirte con la tuya y emplear luz natural porque debes usar iluminación artificial, para conseguir los resultados que la gente desea

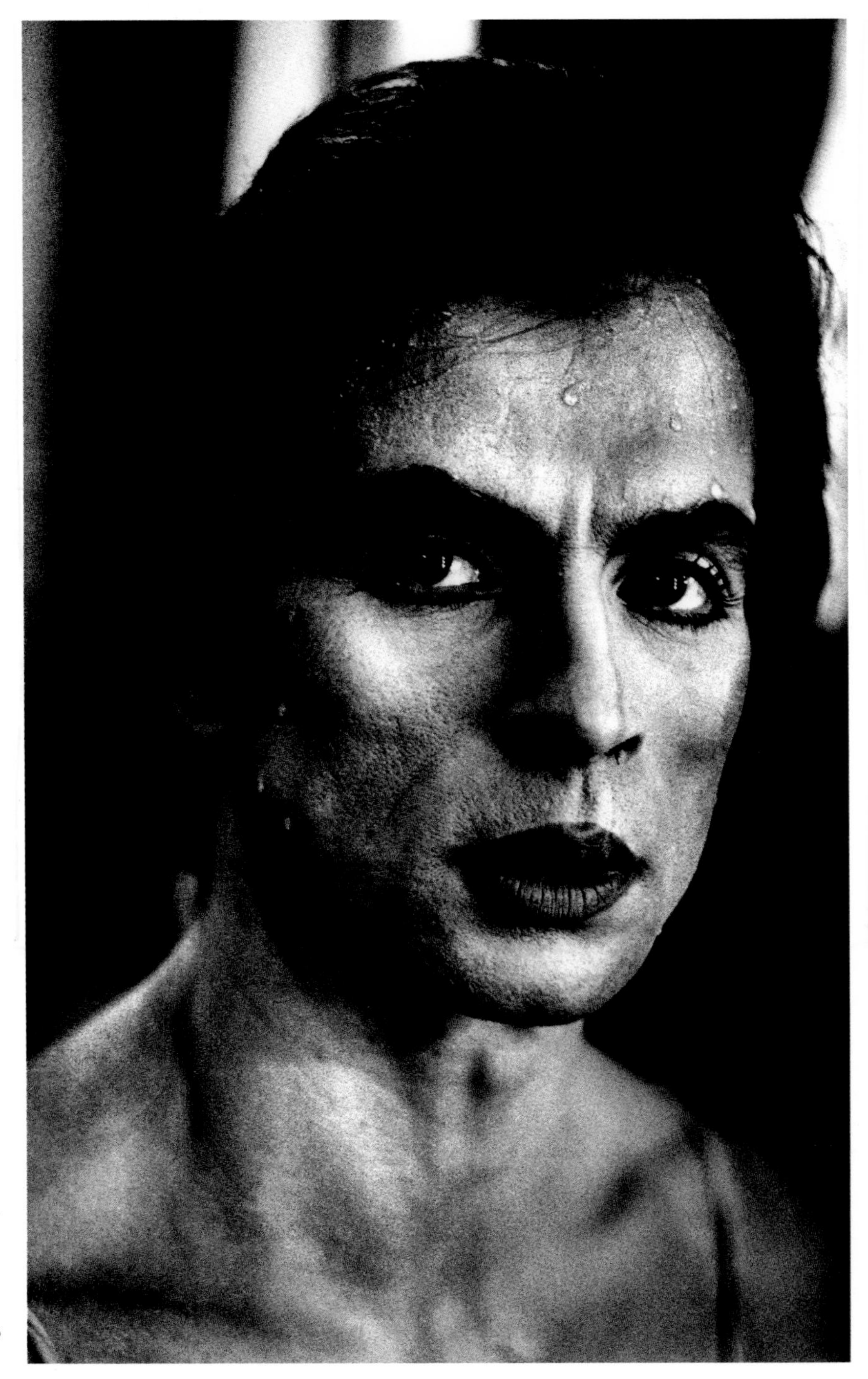

Rudolf Nureyev, bailarín
«La hice el día de su cuarenta cumpleaños. Bailaba con su compañía y dirigía el ballet de *La bella durmiente*. Lo había visto bailar en diversas ocasiones durante su gran época. Estar con él en su camerino fue entrañable. Le hice un par de fotos pero no quedé contenta. Me preguntó si querría acompañarlo para ver el principio del espectáculo entre bastidores. Acepté y vimos juntos el primer acto. Cuando constató que todo marchaba bien, regresamos de nuevo al camerino. Nureyev estaba empapado en sudor, y supe que tenía una gran foto entre manos, que tenía algo maravilloso. Es la criatura más hermosa y llena de magnetismo que he visto en toda mi vida.»

Ruth Rendell, escritora
«Fui a su casa de Regent's Park, Londres, y me encontré una iluminación absolutamente fantástica en la escalera. Ella simplemente se puso allí. Mucha gente me ha dicho: "¿Cómo te atreves? ¡Ruth Rendell no tiene ese aspecto!". Pero pensé: Ruth Rendell escribe sobre asesinatos y misterios, no escribe libros de cocina. Así que ahí está, y la luz es fabulosa.»

Sally Soames

ver en las fotos. Lo odio. No podría hacerlo. No quiero saber nada acerca del color, no me interesa.»

Soames es una persona pintoresca que sabe explicar por qué ama su trabajo. «En primer lugar, me gusta porque me permite fotografiar a las personas más interesantes del planeta. En cierto modo hago historia con ellas, ya sea retratando a alguien que ha escrito un libro maravilloso o cuando conozco a uno de mis héroes como Rudolf Nureyev o Norman Mailer. Conocer a personas a las que adoro es extraordinario, y a ellas les confiere poder de forma sana.»

«Disfruto conociendo a gente y de hecho paso la mayor parte del tiempo charlando con los modelos. Recuerdo que dispuse de dos minutos y medio para fotografiar a Sean Connery, y pasé la mayor parte del tiempo hablando con él

Terry Waite, cooperante *(izq.)*
«Lo fotografié poco después de que hubiese vuelto a Inglaterra tras su largo encarcelamiento en Beirut. Estaba viviendo y escribiendo en la Universidad de Cambridge. Se mostró amable pero retraído debido a su experiencia en la cárcel, así que no dije gran cosa. Parecía estar envuelto en cierta atmósfera y no quise estropearla, de modo que le pedí que se sentase tranquilamente. Creo que solo hice un par de fotos porque no deseaba importunarlo más de lo necesario. Obviamente había sufrido mucho.»

Robert Stevens, actor *(der.)*
«Hacía el papel de rey Lear en Stratford-upon-Avon, un lugar poco idóneo para fotografiar a gente. Yo sabía que no conseguiría la luz adecuada, así que coloqué una silla fuera de los lavabos de caballeros del vestíbulo y nos sentamos. Me pareció que no se encontraba bien y acerté. Le dije: "Mira, lo que quiero es que recuerdes un discurso poderoso y conmovedor de tu papel como rey Lear, y lo recites mentalmente, sin mover los labios y sin mirarme". Eso es lo que pasó.»

Mikhaíl Gorbachev *(izq.)*
«Mikhaíl estaba en Londres y fui a verlo. Estaba muy nerviosa. Cuando llegó le comenté que mis abuelos solían cantarme "Ochi Chernye" [Ojos negros] cuando era un bebé, y Gorbachev empezó a cantar. Me conmovió. Tenía unas manos enormes y maravillosas, y era encantador. De repente nos interrumpieron un momento y se dio la vuelta con manifiesta impaciencia y enfado; sus ojos pasaron de la amabilidad a una lóbrega oscuridad que encontré inquietante. Pero vi el poder que tenía.»

y solo saqué tres fotos. Había alguien sujetando un cronómetro. ¡En serio! Pero las fotos quedaron muy bien.» Soames disfruta de muchos aspectos de su profesión, pero lo mejor para ella es saber que ha hecho la foto que quería. «Soy consciente de que, a no ser que la cámara se haya estropeado o me mate en el coche de camino al cuarto oscuro, todo estará perfectamente y esa es mi mayor felicidad.»

Soames reflexiona acerca del sello personal que tienen sus fotografías. «Creo que resultan directas e impactantes. Siempre he pretendido que la gente perciba la fotografía en la página, que sean las imágenes las que atraigan su atención hacia el texto.»

De entre los fotógrafos que admira y han supuesto una gran influencia para ella destaca a Anthony Armstrong-Jones (Lord Snowdon) como su favorito. «De no haber sido por su trabajo más antiguo no me habría hecho fotógrafa.»

Soames nunca ha recibido educación específica en fotografía, pero en cierta ocasión se unió a un club fotográfico, donde aprendió a ampliar fotos y comenzó a realizar impresiones gigantescas de sus obras. «El *Evening Standard* organizaba una competición diaria, así que fui con dos impresiones enormes de la Nochevieja de 1961 en Trafalgar Square. Cuando las llevé al editor, me impactó escuchar el sonido de todas las máquinas de escribir, algo que ya no era habitual. Al día siguiente mi foto estaba en el *Evening Standard*, enorme, y me pagaron cinco guineas. ¡Gané cinco guineas! Aún conservo la foto y es una de las mejores que he hecho.»

Giorgio Armani, diseñador
«Fui a conocerlo a su suite en un elegante hotel londinense; había poco espacio porque habría una cincuentena de personas allí dentro. Era una situación fotográficamente desesperada y le pregunté si le importaría ir a otro lugar. Bajamos juntos en el ascensor con varias personas más. Giorgio llevaba una gabardina colgada del brazo y le pregunté si podía ponérsela al hombro. Me dijo: "¿Te refieres a mi Armani?"; le contesté: "Sí, ¡la Armani! Póntela sobre el hombro y quédate quieto". Estábamos en el fantástico vestíbulo del hotel y la luz era perfecta. Tiene los ojos azules más brillantes que he visto en mi vida. Resultó mágico, y es una foto de la que estoy muy satisfecha.»

Randee St. Nicholas

St. Nicholas se convirtió en retratista de manera accidental. «Estaba estudiando en la escuela de arte haciendo de modelo, y unos amigos músicos necesitaban fotos. Les saqué algunas con un equipo que tomé prestado en la escuela. Mis amigos acabaron siendo un grupo de moda, The Knack, y yo me convertí en fotógrafa.»

«Siempre había deseado ser pintora, pero convertirme en fotógrafa supuso una terapia sorprendente. Hizo que me abriese a la gente, lo cual me convirtió en una persona más relajada, menos afectada. Cuando fotografías a personas debes vivir el momento, por eso tengo la sensación de que esta profesión ha potenciado en mí cualidades que no creo que hubiese desarrollado de haberme convertido en pintora. Me encontraría mucho más aislada.»

En cuanto empezó a fotografiar, St. Nicholas se enamoró del oficio. «Me encanta la gente, me fascina mirar a alguien a través de la cámara y ver algo totalmente distinto a lo que veo sin ella. Es como buscar el bien en cada persona. A veces tienes sujetos a los que es fascinante fotografiar y otras tienes personas que resultan extremadamente complicadas porque son retraídas, y me gusta el reto de sacar lo que llevan dentro.»

St. Nicholas posee un encantador sentido del humor que aflora cuando se le pregunta por el momento de felicidad perfecta de un fotógrafo. «Lo que más me gustaría es que alguien financiase mis viajes por el mundo con una docena de modelos sorprendentes y fotografiar lo que quiera durante un año. ¿No suena genial?»

Siente predilección por el retrato de celebridades. «Hay tantas limitaciones, tal cantidad de personalidades y de horarios distintos y tantas cosas relacionadas con ese mundo que te ves obligada a darlo todo para que funcione. Te sientes como si realmente hubieses logrado algo, es genial. Me encanta que me asignen una tarea imposible y llevarla a cabo. Hace que sienta que realmente he logrado algo importante.»

Jakob Dylan, músico *(der.)*
Doble exposición: un vistazo íntimo de un artista multidimensional.

Tyson, modelo

Randee St. Nicholas

Kim Basinger, actriz

Cuando se le pregunta acerca de sus mayores virtudes como fotógrafa contesta: «Tiendo a no pensar demasiado acerca de lo que hago. Me gusta percibir cómo avanzo. La gente dice que logro que todo el mundo parezca hermoso; yo estoy muy relajada cuando trabajo y eso hace que la gente se sienta cómoda. Resulta obvio que me encanta mi trabajo, y me gusta pasarlo bien durante las sesiones».

Cuesta imaginar que una fotógrafa de la talla de St.Nicholas pueda tener algún punto débil, pero confiesa que en ocasiones puede resultar demasiado agradable. «Soy muy flexible, cosa que a veces puede comprometer la visión que tengo. Debo escuchar a todos los implicados, y a veces suavizo lo que hago por complacer a todo el mundo. Mi ideal sería que nadie me dijese lo que debo hacer, me diera órdenes ni me sugiriera ideas: Me encantaría simplemente fotografiar a la gente que quiero fotografiar. Por supuesto, ¡pagada por otro!»

Ser fotógrafo implica trabajar en un negocio extraño. «En cierto sentido supone carecer de ego. Si captas la imagen de otras personas quieres profundizar y extraer algo de ellas. Si fotografías a un famoso al que ya ha fotografiado todo el mundo, tienes que extraer algo nuevo.»

«Quiero que todo el mundo tenga un aspecto asombroso, y en ocasiones eso supone renunciar a otras cualidades. Me interesa hallar el equilibrio entre el modelo y yo, y confío en que la química entre nosotros producirá algo fresco, algo que ni el sujeto ni yo hayamos dado con anterioridad. Cuando sucede resulta verdaderamente genial.»

Hay muchos fotógrafos que la han inspirado. «El primero de mi lista es Helmut Newton. Lo siguen diversos fotógrafos de las décadas de 1960 y 1970. Chris von Wangenheim, Pete Turner y Robert Mapplethorpe. De los nuevos me gusta mucho un tipo llamado Thierry LeGoues que tiene una obra oscura y sexy. También me encanta el trabajo de Man Ray. Tengo una gran colección de libros de arte y fotografía.»

ha disfrutado de una carrera
ro de los acontecimientos
jores retratistas del mundo.
grupo de rock The Knack,
úsico Prince y mi primer
t. Cuando te pasa algo así y
, estudié pintura y es posible
aba hacer, pero quizá tenga
ahora deba continuar con la
mi carrera.»
mágenes no es nueva.
nas le afecta lo que ocurre

en su interior. Resulta increíble, pero la fotografía puede mostrar el interior de la gente. Creo que existe una razón por la que algunas personas temían ser fotografiadas, como los nativos americanos, por ejemplo, que creían que era brujería y tenían miedo de que capturase su alma. Realmente opino que la lente ve más allá.»

Para ser una mujer que ha logrado tantas cosas maravillosas en la vida dejándose llevar, la humildad de St. Nicholas resulta refrescante: confiesa que aún no ha alcanzado su mayor logro.

Randee St. Nicholas

Jordon Scott
«El Martini», un retrato con doble intención.

John Stoddart

La carrera fotográfica de Stoddart comenzó en Liverpool, Inglaterra. «Tuve suerte, ya que a comienzos de la década de 1980 había una buena escena de rock and roll en Liverpool y empecé a fotografiar a bandas británicas como Frankie Goes To Hollywood y Echo and the Bunnymen, que en aquella época eran grandes. Solía fotografiar a chicas guapas y a estrellas del rock como afición. ¡Era bastante mejor que la filatelia!» Aún considera la fotografía una afición, pero una sobre la que ha perdido el control.

«Me encantan el glamour y las poquísimas horas de trabajo que implica esta profesión. Obviamente, el dinero ayuda, pero no es la motivación. Creo que se trata de un oficio muy glamouroso comparado con lo que podría estar haciendo. Aún lo considero una afición, y es fantástico.» Lo que podría estar haciendo de no ser fotógrafo resulta aleccionador para Stoddart. «Llegado cierto punto me di cuenta de que no podía hacer nada más. Había estado en el ejército durante seis años, así que no tenía educación ni habilidades, y la informática todavía no lo había copado todo. Ser fotógrafo era lo mejor que podía hacer y lo hice. De lo contrario, supongo que habría acabado en Liverpool con un trabajo no cualificado.»

La fotografía que le indicó que había llegado su momento la sacó durante los disturbios de Liverpool a comienzos de la década de 1980. «Estaba fotografiando a un grupo desconocido y se veían los disturbios de fondo. Atravesaban las llamas y... Parece una locura, pero la foto llamó la atención. Para mí, fue la imagen determinante.» Al echar la vista atrás, añora la escena rockera de la época y le encantaría fotografiar a más estrellas del rock. «Son mis modelos favoritos; son interesantes y excitantes.»

Con el final de la escena musical en Liverpool, tanto él como su esposa comprendieron que para lograr algo con la cámara debían mudarse del norte de Inglaterra. «En realidad, visto ahora, era un ingenuo, pero obviamente fue la mejor

Arnold Schwarzenegger, actor
y político

Mel Gibson, actor
(p. ant., der.).

Elizabeth Hurley, modelo
(p. ant. izq.).

Sting, músico

Los Rolling Stones, grupo de rock

decisión. Tienes que estar en Londres, donde pasan las cosas. Pese a los momentos buenos y malos, nunca he mirado atrás.»

Desde entonces ha realizado diversas exposiciones, ha trabajado para innumerables clientes del mundo editorial y la moda, y ha publicado dos libros: *It's Nothing Personal*, en 1997, y *Peep World*, en 2004, ambos repletos de sus asombrosas imágenes. Ha disfrutado de muchísimos momentos felices recopilando las imágenes para los libros. «¡Me encanta estar en un hotel de cinco estrellas con una actriz semidesnuda preguntándome si su culo me parece grande! Me encanta saber que hay un buen gin-tonic esperándome abajo y que trabajo para una buena revista.»

Sus virtudes se fundamentan en la comunicación y el atrevimiento. «No me considero un fotógrafo artístico, me gusta considerarme una continuación de la tradición fotográfica. Mi principal virtud es que soy buen comunicador y creo que ahí radica el secreto del retrato fotográfico. Capto fragmentos de lo que el modelo dice y disparo cuando sé que va a tener un aspecto fabuloso.» Sus fotografías resultan glamourosas, tensas e impredecibles. «No me gusta el estilo "momento perfecto", en el que hay un aburrido fondo gris y alguien delante. Eso no es lo que hago porque ya se ha hecho un millón de veces.»

Si su fuerte es la comunicación, comunica su punto débil con bastante humor. «¡El alcohol y las mujeres disolutas!», exclama entre risas. «Gasto todo el dinero en mujeres, me vuelven loco. Pero en realidad, mi principal punto débil es la falta de confianza, creer que un día el teléfono dejará de sonar, que los encargos dejarán de llegar. Leí en alguna parte que el promedio de vida de un fotógrafo son siete años.» Pese a ese temor, el teléfono sigue sonando y la fama de Stoddart está en auge. «He ido creciendo como fotógrafo desde que me mudé a Londres en 1984, así que llevo veinte años en esto y estoy muy orgulloso.»

Sin lugar a dudas, su éxito ininterrumpido se debe a que ama lo que hace, la fotografía todavía lo emociona y la considera un reto. A menudo preguntan a Stoddart por qué tantas mujeres se quitan la ropa para sus fotos. A lo que él contesta: «Les digo que no tiene nada que ver con la moralidad ni la vanidad. Recibo encargos privados, pero también pido a gente que conozco, modelos jóvenes o chicas sensuales, que posen para mí. Saben que no les haré un retrato bonito que podrán enseñar a sus padres. Son conscientes de que forman parte de algo más grande».

A Stoddart aún le excita cada nuevo encargo y le agrada fotografiar a gente en vez de coches o alimentos. «Los fotógrafos publicitarios deben de volverse locos... Cuando estamos hojeando una revista y nos encontramos con una foto a toda página de un coche, casi siempre la pasamos enseguida. En cambio, si descubrimos en la página siguiente una foto pequeña de Annie Leibovitz, luego pensamos en ella durante semanas. Me gusta hacer fotos que hagan pensar. Hay fotógrafos cuya obra no me gusta pero a los que admiro porque, al menos, me han hecho pensar.»

Art Streiber

Art Streiber es un californiano de quinta generación que vive en Los Ángeles. Su esposa, Glynis, es la directora para la costa Oeste de la revista *In Style*. Entre 1989 y 1993, Streiber y Glynis fueron los codirectores del Milan Bureau of Fairchild Publications, editores de *Women's Wear Daily* y *W*.

Desde otoño de 1993 Art Streiber trabaja por cuenta propia, se ha especializado en fotoperiodismo, viajes y retratos de la industria del entretenimiento. Entre sus clientes más importantes figuran revistas como *Vanity Fair*, *W*, *Premiere*, *Wired*, *Town & Country*, *O* y *Rolling Stone*, además de empresas como HBO, NBC, CBS, Fox Television, Warner Bros y Sony Music.

Streiber ha explorado muchas facetas de la fotografía a lo largo de su carrera. «Mi trabajo varía. Hago reportajes, interiores, estilos de vida, viajes y retratos. Me decidí por el retrato porque me encanta el reto que supone "definir" visualmente a mis sujetos.» Limpios, elegantes, sutiles y poco pretenciosos son los calificativos que aplica a sus retratos. Su trabajo a menudo se inspira en los fotógrafos

Alan Ball y el reparto de *A dos metros bajo tierra*
«Cuando fotografié al reparto, la serie aún no había empezado a emitirse. Observé los decorados y supliqué al productor que me permitiese realizar la sesión en la sala donde se preparan los cadáveres. Me gustó la idea de iluminar la habitación de la manera más "natural" posible, así que colgamos cinco reflectores *beauty dish* del equipo de iluminación de la serie y luego iluminamos las ventanas desde fuera. Cuando fotografío a grupos de personas uso dos cámaras, una junto a la otra. Entonces uno el plano sin fisuras de ambas o permito que se produzca una fisura para que resulte más crudo o "cinematográfico". En este caso, lo dejé natural; por eso se nota que son dos fotografías, hechas con un intervalo de diez minutos durante un día de producción para el reparto y el director.»

Nicole Kidman, actriz
«Me dijeron que solo dispondría de diez minutos con la oscarizada actriz. Mi equipo y yo llegamos a la localización cuatro horas antes para aprovechar al máximo ese breve tiempo con Nicole, que ante la cámara resultó fabulosa. Creo que es imposible hacer una mala foto de ella. Tras ponerse un vestido clásico Madame Gres de la década de 1930, la dirigimos hacia el pasillo de la suite, medimos la luz y la iluminamos sutilmente con una fuente constante y equilibrada de luz natural para asegurarnos de que la foto no pareciese iluminada.»

que más admira: Elliot Erwitt, James Nachtwey, Arnold Newman, Helmut Newton y Annie Leibovitz.

Streiber, conocido por su enfoque creativo del retrato, convenció a *Vanity Fair* para que comprase una avioneta fumigadora con la que recrear la famosa escena de *Con la muerte en los talones* de Hitchcock para fotografiar a su autor, Ernest Lehman. También convenció al periodista Sam Donaldson para que rodase por la hierba con nueve cachorros de labrador cuando lo fotografió para la revista *George* y al actor Michael Keaton para que se dejase fotografiar en la bañera para la revista *In Style*.

«Soy capaz de resumir bastante rápido el entorno de un sujeto y de componer un retrato con diversos niveles de significado. Consigo que se relajen, y los ayudo a entender que la sesión no tiene por qué parecerse a una visita al dentista.» Streiber bromea con sus modelos, consigue que enseguida se acomoden a su mundo de creatividad y expresión.

Adora todos los estilos fotográficos, pero particularmente el retrato. «El retrato me ha llevado a lugares increíbles y me

Peter Jackson, director
Hotel Four Seasons, Beverly Hills, California
«Tras el éxito internacional de la trilogía *El señor de los anillos*, aquí el director Peter Jackson estaba a punto de llevar a la pantalla otra leyenda, la nueva versión del clásico *King Kong*. Jackson posee la miniatura mecánica original de Kong de la película de 1933. Le fascina el coleccionismo de objetos únicos, y posó con el viejo Kong, alzando los puños con una figura de acción Aragon.»

Severn Cullis-Suzuki
«En Vancouver estaba lloviendo cuando pedimos a la activista medioambiental Severn Cullis-Suzuki que se arrodillase en el barro del jardín de su abuelo. La cámara y yo estábamos protegidos de la lluvia por un gran parasol de golf y usamos dos reflectores para rellenar las sombras que el encapotado cielo gris proyectaba sobre Severn. Usé película tri-x pan, y pedí a Severn que mirase hacia la lluvia para iluminarle la cara.»

ha permitido conocer y charlar con gente fascinante..., desde famosos hasta surferos pasando por adictos al sexo.»
En su trabajo trata de forzar sus propios límites: «Tiendo a encasillarme técnicamente y me arriesgo a perder gran parte de la variedad del retrato en el que trabajo».

«Me encantan los modelos que aportan algo a la cámara, que participan en la sesión.» Y para aquellos que aportan algo durante la sesión, la experiencia resulta encantadora, divertida y memorable. Streiber tiene un gran sentido del humor, y comenta que le encantaría «trabajar en un proyecto sobre humoristas de club y quizá convertirlo en libro».

Se inició en la fotografía muy pronto, disparando carretes de 110 y 126 junto a su hermano. «Íbamos al jardín trasero y nos hacíamos fotos. Comencé a fotografiar para el periódico del instituto a los quince años.» Desde entonces, a Streiber le han gustado todos los aspectos del retrato, desde el diseño del decorado o la solución de cualquier problema técnico imprevisto hasta el trato con el fotografiado. «Me encanta el proceso en sí», comenta, y no se ve haciendo otra cosa en la vida.

John Woo, director
«John Woo estaba editando *Paycheck* cuando lo fotografié para *Wired*. Buscaba la manera de lograr una imagen "como de otro mundo". Se me ocurrió llenar el espacio con globos de helio iluminados desde el interior y anclados al suelo. Tomé la imagen con una cámara 4x5 con una exposición de un segundo.»

Ases de la Segunda Guerra Mundial
«La idea se le ocurrió a mi ayudante. Mi director de arte, Nick Tortorici encontró la bandera en Los Ángeles. Hizo algunas llamadas y localizó a algunos veteranos. Pasamos seis horas colgando tres difusores y montando dos largos bancos. No resultó fácil organizar a estos antiguos pilotos para que se sentasen de manera aleatoria. Fue un auténtico honor estar en presencia de estos ases supervivientes.»

Ben Watts

Ben Watts nació en Londres en 1967 y posteriormente se mudó a Gales, Reino Unido, para vivir con sus abuelos. Más tarde regresó a Londres para ingresar en un internado hasta que su familia se trasladó a Sidney, Australia, en 1982. En 1985 comenzó a estudiar comunicación visual en el Sydney College of Art con la intención de hacerse diseñador gráfico. Fue allí donde empezó a hacer fotografías. «La primera foto que hice en mi vida fue para la clase. Era una foto de "Slinky" y era una porquería. Simplemente la hice sin más.» Afortunadamente, poco tiempo después de ese encargo, a Watts se le ocurrió fotografiar a los clientes del club nocturno donde trabajaba.

«La adrenalina y la vitalidad me hicieron ver el modo en que la cultura de la calle influye en la moda. Cuanto más fotografiaba, más comprendía que la fotografía era el único medio en el que quería trabajar.» Comenzó a recopilar imágenes de sus amigos y de gente interesante con la que se encontraba y a usarlas para sus proyectos estudiantiles.

Cobró conciencia entonces de que quería dedicarse a la fotografía, encontró trabajo como ayudante de uno de los principales fotógrafos australianos de moda y poco tiempo después empezó a trabajar para las ediciones australianas de *Elle, Marie Claire* y *Vogue*. Su experiencia fotografiando «la moda de la calle» le permitía crear imágenes que, además de ser comerciales, aportaban autenticidad a la fantasía de la moda, forjando una combinación que lo catapultó a lo más alto de su campo profesional en muy poco tiempo.

Cuando comenzaba a despuntar en Sidney se marchó a Nueva York y se dedicó a fotografiarlo todo, desde el Lower East Side hasta el Bronx, desde Harlem hasta Coney Island, con la intención de plasmar la cultura juvenil y la vida nocturna. Fotografió a chavales, matones, policías y transeúntes. El resultado fue una colección de imágenes con una perspectiva refrescante, natural, optimista y alegre de unos grupos sociales que poca gente había visto antes. Arrojó luz sobre un sector social que hasta la fecha muchos habían considerado, como mínimo, intimidatorio.

Watts viaja por todo el mundo, desde Nueva York o Los Ángeles, hasta el Caribe, Asia, Brasil y Europa, para fotografiar a la juventud urbana. Desde siempre se ha sentido fascinado por la cultura hip-hop estadounidense, y continúa documentando este fenómeno. Se ha convertido en un asiduo del club de boxeo de Times Square y de la piscina de Carmine Street, y realiza allí sus fotografías desde dentro, no como lo haría un simple observador.

En 1994 Nike lo contrató para su primer encargo publicitario, consistente en fotografiar a algunos de los atletas olímpicos a los que patrocina la firma. Le tenían tal consideración que le encargaron que fotografiase a los

Ben Watts

CASUALTIES
RIVER CITY REBELS
COPS ARE ASSHOLES
RANCID
TIGER

atletas en Brasil, China, Corea y otros países del Pacífico. *Vibe* también lo contrató para toda una serie de campañas editoriales, que abarcaban desde el mundo de la moda hasta los retratos de boxeadores de peso pesado como Lennox Lewis y Oscar de La Hoya. Asimismo *Vibe* realizó una campaña publicitaria con las fotografías que Watts había sacado en el Powerhouse Club de Nueva York en 1990.

Watts continúa realizando fotografía de moda para algunas de las revistas más prestigiosas del mundo, como *GQ, Interview, Harper's Bazaar, Rolling Stone* y *Vanity Fair*. Ha recibido grandes elogios por parte del medio fotográfico, de publicaciones como de *Photo District News, Italian Photo, Photo Market* y *Trace*. «Hacer fotos que me inspiren, ganarme la vida con algo que disfruto y tener el reconocimiento de compañeros de profesión a los que admiro es lo que más feliz me hace.»

Por encima de otras cualidades, Watts valora en las personas a las que fotografía el sentido del humor. Posee magnetismo y es muy hábil a la hora de comunicarse con los modelos, y gracias a ello es capaz de extraer aspectos vibrantes e interesantes de cada uno de ellos. Watts opina acerca de sus fotografías y su estilo: «Dependen de la preparación y la experiencia del día. La personalidad del sujeto define mi trabajo». Sus imágenes permanecen en el observador mucho tiempo después de vistas, testimonio del valor social de su obra y de la importancia de su hermosa y enérgica contribución a las artes y a la humanidad.

Jim Wright

«¡Me convertí en retratista porque se me da fatal la pintura!» Así explica su vocación Jim Wright, que no tardó en cambiar la escuela de arte por el diseño de moda. «Mi madre era costurera y hacía vestidos de novia. De adolescente tenía que probarme esos vestidos, y así aprendí a cortar patrones y a coser.» Mientras estudiaba moda se enamoró de la fotografía, una asignatura obligatoria del curso.

También se convirtió en un ávido surfista y acabó dejando la escuela para diseñar vestimenta para surfistas a jornada completa. «En aquel momento tenía un amigo campeón de surf de la costa Este y solía viajar con él. Me dejó su equipo fotográfico y comencé a fotografiarlo mientras competía. Todos los tipos de la playa me decían que debería estudiar fotografía. ¡Yo no sabía que existiesen escuelas para ello!» Inspirado, Wright estudió en la Drexel University durante dos años y luego en el Art Institute de Filadelfia. «No había planeado hacerme fotógrafo, es algo que me sucedió.» Ni siquiera mientras estudiaba se le ocurrió profesionalizarse. «Mi objetivo era convertirme en el mejor ayudante del mundo.» Dejó Filadelfia y se mudó a Los Ángeles. «Expliqué a mis amigos que me iba a Los Ángeles a trabajar como ayudante de Herb Ritts y todos dijeron: "Claro, seguro". Pero era cierto. Cuando llegué a Los Ángeles empecé imprimiendo sus fotos. Trabajé para él hasta que pasé a ser ayudante de Peggy Sirota, con quien estuve unos cinco años. Fue una gran mentora, me dio un gran empujón. Y pese a que no quería que la dejase, me animaba a salir al mundo y hacerme fotógrafo. "No sé a qué estas esperando; tienes lo que hay que tener para ser fotógrafo y se te da bien la gente". ¡Y eso es lo que hay!»

Su gusto por todo tipo de estilos musicales lo motiva para continuar fotografiando a músicos. Wright tocaba en grupos de rock mientras era estudiante. «Soy un fanático de la música y me parece genial trabajar con gente a la que admiro. Hay una broma recurrente que siempre cuento a mis ayudantes; les digo que en cuanto fotografíe a Bruce Springsteen, se acabó, dejo las cámaras y me vuelvo a Nueva Jersey a abrir una pizzería.»

Por el momento continúa siendo extremadamente prolífico. Ha publicado tres libros bajo tres nombres diferentes y también ha organizado un archivo fotográfico bajo seudónimo. «Actualmente investigo el tema de las galerías. Además estoy comenzando un proyecto relacionado con paisajes... fotografiándolos, no haciendo paisajismo. También trabajo en una película que me roba mucho tiempo. Ahora mismo es como mi bebé.»

Peter Yorn, músico
«Trabajo mucho para Pete. Después de la primera sesión que compartimos nos hicimos amigos, y acabé encargándome del trabajo promocional de su último disco: *Day I Forgot*.»

Dennis Quaid, actor

«Dennis estuvo genial. A pesar de su fama, entró en el estudio sin un gran séquito. Lo había conocido mientras fotografiaba a Tiger Woods en su campo de prácticas de golf en las afueras de Las Vegas. Dennis estaba allí. Le di las fotos que les había hecho a él y a Tiger aquel día y exclamó: "¡Dios mío! ¡Son geniales! ¿Qué te apetece hacer hoy?". Se portó muy bien. Como le gusta mucho la música, pusimos discos de los Rolling Stones, de Jerry Lee Lewis y de Elvis, y se volvió loco. Lo único que yo tenía que hacer era elegir un personaje musical y él lo interpretaba ante mi cámara. En esta fotografía hace de Mick Jagger. Estuvo muy bien, y además no tuve ningún publicista pegado a mi espalda.»

Iluminación ElenChrome Pro Photo, toque de luz en el fondo, Kodak 400 vis vis a 250 forzado a la mitad.

GRETSCH
NEW YORKER

Elisha Cuthbert, actriz
«Esta es una foto digital realizada en la azotea de mi estudio con una Hasselblad justo antes de pasarme al digital, con una lente de 120, creo recordar. Forma parte de un artículo sobre belleza que hacíamos para la revista *Allure* justo cuando la serie de televisión en la que aparece Elisha, *24*, comenzaba a despegar. Es una muchacha dulce con una piel preciosa. Me gusta la suavidad de la foto y de su pelo. También me gusta la paleta de colores. Matthew van Lewen fue el maquillador y el peinado es obra de David Gardner; ambos son asombrosos y crearon una paleta basada en el Hollywood clásico. Es una foto muy natural, sofisticada y dulce, y recuerda a una gran bola de helado de vainilla. Tengo esta foto colgada en la pared de mi casa.»

«Estos trabajos suponen un giro de 180° respecto al fotoperiodismo y la moda. En realidad, trato de alejarme de todo eso. Ya no me interesa. Y sinceramente, ya no soy tan joven ni puedo moverme tanto. Disfruto del cambio, necesito hacer algo diferente para que cuando retome el mundo de las celebridades me resulte otra vez interesante.»

Cada día aporta algo nuevo para Wright. «Siempre hay una serie de normas nuevas para cada sesión, una experiencia distinta o una condición esencial que debe ser satisfecha. La parte más sencilla es disparar. Una vez tengo al modelo ante la cámara, todo va bien. La parte más complicada es la localización, el peinado, el maquillaje, el publicista y todo cuanto rodea al mundo de las celebridades. Es una de las razones por las que me gusta fotografiar a músicos. La mayor parte de ellos tienen gran determinación y una idea clara de la manera en que deben ser presentados, y, para saber cuál es, siempre trato de establecer una conexión con ellos antes de la sesión. Este tipo de cosas cambian, y por eso mi trabajo continúa resultándome divertido y nuevo.»

«Tengo ideas muy claras respecto a lo que me gusta fotografiar y creo que mi mayor virtud consiste en pensar

Peter Yorn, músico (*izq.*)

Johnny Rotten, músico
«Lo fotografié en el festival de cine de Sundance hace ya algunos años. Tenía una película dirigida por Julian Temple titulada *The Filth and the Fury* sobre los Sex Pistols. Johnny tiene fama de ser una persona difícil y creo que la alimenta. Me estaba tratando mal y la sesión era un callejón sin salida; yo se las devolvía todas. Estaba a punto de marcharse cuando lo llamé gilipollas. Steve Jones, su guitarrista, lo picó: "¡Ja!, ¡Se la suda insultarte, colega!". Entonces Johnny me dijo: "Por fin hay alguien con cojones en este puto lugar. A ver, tío, ¿qué quieres hacer?". La MTV estaba filmando la sesión, así que Johnny estaba representando su papel y montando el numerito, pero la mirada de la foto es real. Esa mirada no se finge. Cuando el equipo de filmación de la MTV se marchó, Johnny se dio la vuelta, me sonrió y alzó los pulgares, como diciendo: "¡Así se hace!". Fue perfecto, yo logré lo que quería y él mantuvo su mala reputación. Volví a verlo esa misma noche, y me confesó: "Hoy he hecho siete sesiones fotográficas y la tuya ha sido la mejor; el resto de los fotógrafos se limitó a lloriquear en un rincón".»

que puedo hacerlo casi todo. No solo soy un tipo que se dedica a la moda, al estilo de vida... Y tampoco soy un retratista serio. Realmente me considero capaz de fotografiar cualquier cosa. Mi otra virtud consiste en que no digo primero una cosa y a continuación lo contrario.» Con todo, considera que en algunas ocasiones no se ha mantenido firme y ha cedido para conseguir la foto que quiere sin enfadar a nadie. «Soy bastante tranquilo, y resulta difícil hacer que me enfade durante una sesión. Resulta gracioso porque se trata de un proceso de aprendizaje, siempre distinto, en el que en cuanto crees que ya lo tienes todo controlado, tus fotos comienzan a quedarse estancadas y de repente formas parte de la vieja escuela.»

Sofia Coppola, directora de cine
«Hice esta fotografía durante el festival de cine de Sundance. Resulta divertida porque en realidad no ves a Sofia, pero eso también la define como persona. Por más que aparezca en la prensa, es una mujer muy discreta. Está ahí, pero no. Incluso cuando aceptó el Oscar fue humilde; ella es así.»

Hasselblad con lente de 50 mm.

Five for Fighting
«Este es John Ondrasik, del grupo Five for Fighting, en una foto para el librito del CD. La hicimos en Mulholland Drive en una casa de Frank Lloyd Wright inacabada. Se suponía que estaba relacionada con la temática del disco: la naturaleza en colisión con la tecnología y con el hombre. Por eso en una parte se ve el cielo azul y la hierba y, en otra, una estructura de piedra con barras metálicas salientes. Parece un entorno obra del hombre pero deshabitado.»

Fuji 617 con una lente de 90 mm. f16 con Pro Photo a través de seda. Está sombreado con devatine negra 20x. El suelo está retocado digitalmente para que no se perciba la sombra.

El vaquero
« El chaval de esta foto era un vaquero profesional. Asisitía al colegio, pero también se ocupaba de un rancho enorme en Nuevo México. Observar cómo reunía el ganado resultó asombroso, porque es un crío. Detrás de él hay un caballo adulto. Fue un momento muy intenso; era como hablar con un hombre. Tenía once años y me trataba con paternalismo. ¡Creí que era un enano!»

Película Triax a 320 forzada a la mitad, con luz natural a 1/30 a f5/6.

Jim Wright

Directorio

Michael Birt

Página web: www.michael-birt.com

Jennifer Stanick (Representante)
CPI-New York
444 Park Avenue South,
Suite 502,
New York,
NY 10016
USA
Tel: 00 1 212 683 1455
Fax: 00 1 212 683 2796
E-mail: jennifer@cpi-reps.com
Web site: www.cpi-reps.com

Katz Pictures (Ventas editoriales)
109 Clifton Street
London
EC2A 4LD
UK
Tel: +44 (0) 207 749 6000
Email: K2@Katz Pictures

Zelda Cheatle Gallery
99 Mount Street
London
W1Y 5HF
UK
E-mail: galleryphoto@zcgall.demon.co.uk

Chris Buck

Página web: www.chrisbuck.com

Julian Richards (Representante)
381 Broadway,
#405, Manhattan,
NY 10013
USA
Tel: 00 1 212 219 1269
E-mail: julian@julianrichards.com
Página web: www.julianrichards.com

E. J. Camp

Página web: www.ejcamp.com

Dina Schefler (Representante)
In Focus Associates
305 East 46th Street,
15th Floor, New York,
NY 10017
USA
Tel: 00 1 212 593 5100
Fax: 001 212 593 8087
E-mail: info@infocusassociates.com
Web site: www.infocusassociates.com

John Clang

Página web: www.johnclang.com

Jae Choi (Representante)
Art & Commerce
755 Washington St.,
New York,
NY 10014
USA
Tel: 00 1 212 206 0737
Fax: 00 1 212 463 7267
E-mail: jchoi@artandcommerce.com
Página web: www.artandcommerce.com

William Claxton

E-mail: info@williamclaxton.com
Página web: www.williamclaxton.com

Thierry Demont (Representante)
Demont Photo Management
Tel: 00 1 212 214 0629
Fax: 00 1 212 202 5403
E-mail: thierry@demontphoto.com
Página web: www.demontphoto.com

Michael Hoppen
Michael Hoppen Gallery
Second Floor
3 Jubilee Place
London
SW3 3TD
UK
Tel: +44 (0)20 7352 4499
Fax: +44 (0)20 7352 3669
E-mail: info@michaelhoppengallery.com
Página web: www.michaelhoppengallery.com

Fahey Klein Gallery
148 N. La Brea
Los Angeles
CA 90036
USA
Tel: 00 1 323 934 2250
Fax: 00 1 323 934 4243
E-mail: fahey.klein@pobox.com
Página web: www.faheykleingallery.com

Craig Cutler

15 East 32nd St.
4th Floor
New York
NY 10016
Tel: 00 1 212 779 9755
Fax: 00 1 212 779 9780
E-mail: studio@craigcutler.com
Página web: www.craigcutler.com

Art + Commerce (Representante)
755 Washington St.,
New York,
NY 10014
USA
Tel: 00 1 212 206 0737
Fax: 00 1 212 463 7267
E-mail: agents@artandcommerce.com
Página web: www.artandcommerce.com

A & C Anthology (Ventas de stocks)
Tel: 00 1 212 206 0737
Fax: 00 1 212 645 8724
E-mail: anthology@artandcommerce.com
Página web: www.artandcommerce.com

Terence Donovan

Elizabeth Kerr (Sindicato)
Camera Press
755 Washington Street,
New York,
NY 10014
US
Tel: +44 (0)20 7378 130
Fax: +44 (0)20 7278 5126
Página web: www.camerapress.com

Tony Duran

Tel: 00 1 310 471 9590
Página web: www.tonyduran.com

Kimberly Ayl (Sindicato)
Icon International
439 N. Larchmont Blvd.
Los Angeles
CA 90004
USA
Tel: 00 1 323 468 4100
Fax: 00 1 323 468 4101
E-mail: kimberlyayl@iconphoto.com
Página web: www.iconphoto.com

Andrew Eccles

Página web: www.andreweccles.com

Jean-Marc Vlaminck (Representante)
o Gwen Walberg
Arc Reps
140 West 22nd St.
12th Floor
New York
NY
10011
USA
Tel: 00 1 212 206 8718
Fax: 00 1 212 206 8714
E-mail: jmv@arcreps.com
E-mail: gwen@arcreps.com
Página web: www.arcreps.com

JBG Syndication (Sindicato)
12711 Ventura Blvd.
Suite 280
Studio City
CA 91604
USA
Tel: 00 1 818 760 9707
Fax: 00 1 818 760 9785
E-mail: info@jbgphoto.com
Página web: www.jbgphoto.com

Larry Fink

Bill Charles (Representante)
Bill Charles Inc
116 Elizabeth Street,
Penthouse,
New York,
NY 10013
USA
Tel: 00 1 212 965 1465
Fax: 00 1 212 965 9235
E-mail: mailbox@billcharles.com
Página web: www.billcharles.com

Bill Charles (Londres)
Unit 3E1
Zetland House
5-25 Scrutton St.
London
EC2A 4HJ
UK
Tel: +44 (0)207 033 9284
Tel: +44 (0)207 033 9285
E-mail: nancy@billcharles.com

Patrick Fraser

Página web: www.patrickfraserphotography.com

Kimberly Ayl (Sindicato)
Icon International
439 N. Larchmont Blvd.
Los Angeles
CA 90004
USA
Tel: 00 1 323 468 4100
Fax: 00 1 323 468 4101
E-mail: kimberlyayl@iconphoto.com
Página web: www.iconphoto.com

Greg Gorman

Trish Swords (Representante)
Greg Gorman Photography
8275 Beverly Blvd.
Los Angeles
CA 90048
USA
T: 00 1 323 782 1870
Fax: 00 1 323 782 9190
E-mail: trish@greggormanphotography.com
Página web: www.greggormanphotography.com

Kimberly Ayl (Sindicato)
Icon International
439 N. Larchmont Blvd.
Los Angeles
CA 90004
USA
Tel: 00 1 323 468 4100
Fax: 00 1 323 468 4101
E-mail: kimberlyayl@iconphoto.com
Página web: www.iconphoto.com

Adver. US
Kake Worldwide
601 W. 26th St.
#1395, New York
NY 10001
Tel: 00 1 212 243 9229
Página web: www.kakeworldwide.com

Adver. Italy
Blob Creative Group
Via Tertulliano SG
20137 Milan
Italy
Tel: 00 39 01 5400171
Fax: 00 39 02 54120637
Página web: www.blobcg.com

Fergus Greer

Frank Parvis (Representante)
i2i Photo
580 Broadway
Suite 601
New York
NY 10012 USA
Tel: 00 1 212 925 5410
Fax: 00 1 212 925 7312
E-mail: fparvis@i2iphoto.com
Página web: www.i2iphoto.com

Kimberly Ayl (Sindicato)
Icon International
439 N. Larchmont Blvd.
Los Angeles
CA 90004
USA
Tel: 00 1 323 468 4100
Fax: 00 1 323 468 4101
E-mail: kimberlyayl@iconphoto.com
Página web: www.iconphoto.com

David Fahey
Fahey Klein Gallery
148 N. La Brea
Los Angeles
CA 90036
USA
Tel: 00 1 323 934 2250
Página web: www.faheykleingallery.com

Michael Hoppen
Michael Hoppen Gallery
Second Floor
3 Jubilee Place
London
SW3 3TD
UK
Tel: +44 (0)20 7352 4499
Fax: +44 (0)20 7352 3669
E-mail: info@michaelhoppengallery.com
Página web: www.michaelhoppengallery.com

Fergus Greer Studio
444 N. Larchmont Blvd.
Suite 201
Los Angeles
CA 90004
USA
Tel: 00 1 323 460 4586
Fax: 00 1 323 460 5687
E-mail: info@fergusgreer.com
Página web: www.fergusgreer.com

Dominick Guillemot

Dominick Guillemot Studio
710 Wilshire Blvd.
Penthouse
Santa Monica
CA 90401
USA
Tel: 00 1 310 576 3033
Fax: 00 1 310 319 3575
E-mail: dominick@dominickphoto.com
Página web: www.dominickguillemot.com

JBG/ARC Syndication (Sindicato)
12711 Ventura Blvd.
Suite 280
Studio City
CA 91604
USA
Tel: 00 1 818 760 9707
Fax: 00 1 818 760 9785
E-mail: info@jbgphoto.co
Página web: www.jbgphoto.com

Staley Wise Gallery
560 Broadway
New York
NY 10012
USA
Tel: 00 1 212 966 6223
Página web: www.staleywise.com

Fahey Klein Gallery
148 N. La Brea
Los Angeles
CA 90036
USA
Tel: 00 1 323 934 2250
Página web: www.faheykleingallery.com

Meter Gallery
Página web: www.metergallery.com

Russell James

Palma Driscoll (Representante)
Bryan Bantry Agency NYC
Tel: 00 1 212 935 0200
E-mail: drawlight@aol.com

Russell James Studio
601 West 26th St.
Suite 1395
New York
NY 10001
USA
Tel: 00 1 212 243 0155
Fax: 00 1 212 243 7677
rj@russelljames.com
Página web: www.russelljames.com

Serlin Associates (Galería)
126 Bd Bineau
92200 Neuilly Sur Seine
France
Tel: 33 1 41 43 24 24
Fax: 33 1 41 43 24 23

Nadav Kander

Página web: www.nadavkander.com

Bill Stockland (Rep NY)
Stockland Martel
5 Union Square West
6th Floor
New York
NY 10003
USA
Tel: 212 727 1400
Fax: 212 727 9459
E-mail: bill@stocklandmartel.com
Página web: www.stocklandmartel.com

Katy Niker (Representante en Londres)
Burnham Niker
Unit 8 Canonbury Business Centre
190a-192a New North Rd.
London
N1 8BJ
UK
Tel: +44 (0)20 770 46565
Fax: +44 (0)20 7704 8383
E-mail: enquiries@burnham-niker.com
Página web: www.burnham-niker.com

Veronique Peres Domergue (Representante en París)
Veronique Peres Domergue
Tel: 00 1 33 141 12 30 00
E-mail: veronique@vpd.com
Página web: www.vpd.com

Shine Gallery
Tel: +44 (0)20 7352 4499
E-mail: shine@shinegallery.co.uk

Yancey Richardson Gallery
535 W. 22nd St.,
3rd Floor,
New York,
NY
Tel: 212 343 1265
E-mail: yrichardson@yrichardson.com

Fahey Klein Gallery
148 N. La Brea
Los Angeles
CA 90036
USA
Tel: 00 1 323 934 2250
Página web: www.faheykleingallery.com

Yousuf Karsh

Elizabeth Kerr (Sindicato)
Camera Press
21 Queen Elizabeth Street
London
SE1 2PD
UK
Tel: +44 (0)20 7378 130
Fax: +44 (0)20 7278 5126
Página web: www.camerapress.com

Richard Kern

PO Box 1267
New York
NY 10009
USA
E-mail: kern@richardkern.com
Página web: www.richardkern.com

Lord Lichfield
Contacto: Penny Daly
E-mail: penny@lichfieldstudios.co.uk

Mark Liddell

Página web: www.markliddell.com

Raul Lamelas (Representante)
F11 Inc.
Tel: 00 1 323 882 8201
E-mail: f11@f11inc.com
Página web: www.f11inc.com

Vernon Jolly (Representante Estados Unidos)
180 Varick St.
Suite 912
New York
NY 10014
Tel: 00 1 212 989 0800
Fax: 00 1 212 989 0002
E-mail: vjolly@vernonjolly.com
Página web: www.vernonjolly.com

Antoinette Kegel (Representante Europa)
Via Monte di Pieta,
19, Milan,
Italy
Tel: 00 39 02 8 90 06 99
Fax: 00 39 02 86 99 53 93
E-mail: info@antoinettekegel.com
Página web: www.antoinettekegel.com

Kimberly Ayl (Sindicato)
Icon International
439 N. Larchmont Blvd.
Los Angeles
CA 90004 USA
Tel: 323 468 4100
Fax: 323 468 4101
E-mail: kimberlyayl@iconphoto.com
Página web: www.iconphoto.com

Sheryl Nields
Página web: www.sherylnieldsphotography.com

Terry O'Neill

Elizabeth Kerr (Sindicato)
Camera Press
21 Queen Elizabeth Street
London
SE1 2PD
UK
Tel: +44 (0)20 7378 130
Fax: +44 (0)20 7278 5126
Página web: www.camerapress.com

Frank Ockenfels III

Carol LeFlufy (Representante)
iForward
Tel: 00 1 323 462 7950

Martin Parr

Página web: www.martinparr.com

Michael Shulman (Representante)
David Strettel (Impresión)
Magnum Photos, Inc.
151 West 25th Street,
New York
MY 10001
USA
Tel: 00 1 212 929 6000
Fax: 00 1 212 929 9325
E-mail: michael@magnumphotos.com
E-mail: david@magnumphotos.com
Página web: www.magnumphotos.com

Nigel Parry

Página web: www.nigelparryphoto.com

Jennifer Stanick (Representante)
CPI-New York
444 Park Avenue South
Suite 502, New York
NY 10016 USA
Tel: 00 1 212 683 1455
Fax: 00 1 212 683 2796
E-mail: jennifer@cpi-reps.com
Página web: www.cpi-reps.com

Rankin

Página web: www.rankin.co.uk

ESP New York (Representante)
Tel: 00 1 212 431 8090
E-mail: info@esp-agency.com
Página web: www.esp-agency.com

ESP London (Representante)
Tel: +44 (0)207 209 1626

Steve Shaw

Steve Shaw Photography
550 N. Larchmont Blvd.,
#201,
Los Angeles,
CA 90004
E-mail: steve@steveshawphotography.com
Página web: www.steveshawphotography.com

D. Sharpe (Representante en Estados Unidos)
The Den
Tel: 00 1 323 993 0805
Fax: 001 323 993 0811
E-mail: dsharpe@thedenmgmt.com
Página web: www.thedenmgmt.com

T Photograpic (Representante RU)
1 Heathgate Place
78-83 Agincourt Rd.
London
NW3 2NU
Tel: +44 (0)20 7428 6070
Fax: +44 (0)20 7428 6079
E-mail: info@tphotographic.com
Página web: www.tphotographic.com

Lord Snowdon

Elizabeth Kerr (Sindicato)
Camera Press
21 Queen Elizabeth Street
London
SE1 2PD
UK
Tel: +44 (0)20 7378 130
Fax: +44 (0)20 7278 5126
Página web: www.camerapress.com

Isabel Snyder

Página web: www.isabelsnyder.com

ARTmix The Agency (Representante en Los Ángeles)
2148 Federal Ave.
Suite B
Los Angeles
CA 90025
Tel: 00 1 310 473 0770
Fax: 00 1 310 473 0760
E-mail: giseller@artmixtheagency.com
Página web: www.artmixtheagency.com

ARTmix The Agency NY (Representante en Nueva York)
9 Desbrosses St.
Suite 513
New York
NY 10013
USA
Tel: 00 1 212 989 4990
Fax: 00 1 212 941 0776

Frank Roller (Representante en Alemania)
323 1/2 N. Ogden Drive,
Los Angeles,
CA 90036
Tel: 00 1 323 932 0500
Fax: 00 1 810 277 4306
E-mail: frank@glampr.com
Página web: www.glampr.com

Misato Sinohara (Representante en Japón)
Tel: 00 310 399 34356
Fax: 00 310 396 1614
E-mail: misatos@earthlink.net

Lisa Diamond (Sindicato)
Corbis Outline
Tel: 00 1 212 375 7600
Fax: 00 1 212 353 8316
E-mail: lisa.diamond@corbis.com
Página web: www.corbis.com

Randee St. Nicholas

Página web: www.randeestnicholas.com

Lamprecht & Bennett, Inc. (Representante)
601 West 26th St.
Suite 1227
New York
NY 10001
Tel: 00 1 212 533 3900
Fax: 00 1 212 533 4191
E-mail: info@lamprechtbennett.com
Página web: www.lamprechtbennett.com

Ulrik Neumann (Manager)
1287 N. Crescent Heights Blvd.
West Hollywood
CA 90046
USA
Tel: 00 1 323 936 0090
Fax: 00 1 323 936 8090
E-mail: ulrik@ulrikneumann.com
Página web: www.ulrikneumann.com

John Stoddart

Página web: www.peepworld.co.uk

Art Streiber

Página web: www.artstreiber.com

Kim Gillis (Representante) y Vonetta Baldwin
Montage
Tel: 00 1 323 769 0600
E-mail: kim@montagephoto.net
E-mail: vonetta@montagephoto.net
Página web: www.montagephoto.net

Kimberly Ayl (Sindicato)
Icon International
439 N. Larchmont Blvd.
Los Angeles
CA 90004
USA
Tel: 00 1 323 468 4100
Fax: 00 1 323 468 4101
E-mail: kimberlyayl@iconphoto.com
Página web: www.iconphoto.com

Wright Jim

Página web: www.jimwirghtphotography.com

Kim Gillis (Representante)
Montage
Tel: 00 1 323 769 0600
E-mail: kim@montagephoto.net
Página web: www.montagephoto.net

Agradecimientos

Han sido muchas las personas que me han ayudado generosamente en la elaboración de este libro y les estoy eternamente agradecido.

En primer lugar, mi más sincero agradecimiento a los fotógrafos que han prestado su tiempo y sus imágenes, ya que sin su ayuda este libro no existiría.

Mucha gente ha dedicado tiempo, energía y entusiasmo a esta labor: ya sabéis quiénes sois. Aun así, debo destacar la colaboración de:

Lindsay Stewart por sus extraordinarias habilidades como escritora, su paciencia y su perseverancia, sin la cual este proyecto no habría visto la luz. Su dirección ha sido impecable.

Kimberley Ayl y todo el equipo de Icon International, Los Ángeles, por su generosidad, profesionalidad y buen juicio. Siempre es un placer tratar con ellos.

También Josette Latta de BBH, por compartir consejos y conocimientos desinteresadamente y por apoyar la elaboración del libro.

Asimismo me gustaría dar las gracias a Christopher Dougherty, Scarlet Lacey, Frank Parvis, Nan Richards, Yupa Randle, Rafael Guerero, David y Sheila Greer, Sandy Williams, Billy Mernit, Heather McGlone, Lisa Wright, Robert Violette, Carol Brandwein, Geoffrey Matthews, Charlotte Blofeld, Carlo Banfi, Kee y Sheona Levi, Florence Chase, Michael Hoppen, Terence Pepper, Julian Treger, Mike Sherry de Sky Photographic y Vincent McCartney.

Y por supuesto, mi eterna gratitud a Katya y a Ludmilla Greer, quienes, como siempre, me han apoyado a lo largo de todo el proyecto.

Fergus Greer estudió en St. Martins School of Art, Londres, y en The Royal Military Academy de Sandhurst, Surrey, a mediados de la década de 1980, antes de convertirse en fotógrafo a comienzos de la década de 1990.

En 1996 se estableció en Los Ángeles, California. Ha realizado fotografías para publicidad, libros y diversas publicaciones, y entre sus clientes figuran: *Vanity Fair, The New Yorker, The New York Times Magazine, The London Sunday Times Magazine, Marie Claire, GQ, Premier, Fortune, TV Guide, Maxim, Town and Country* y *New York Magazine*. Entre sus campañas destacan las realizadas para IBM, Charles Schwab, Peoplesoft, Washingon Post, Cigna, CNN, Autel, Exxon y Mobil. También expone en museos de todo el mundo.

Créditos de las imágenes